ARSÈNE LUPIN

MAURICE LEBLANC

ARSÈNE LUPIN E OS ENIGMAS

Tradução
Antônio Meurer e
Luciene Ribeiro
dos Santos

Esta é uma publicação Principis, selo exclusivo da Ciranda Cultural

Traduzido do original em francês
L'Homme à la peau de bique / Le cabochon d'émeraude / Le mystère de tapisserie volée / Le Coffre-fort de madame Imbert

Texto
Maurice Leblanc

Tradução
Antônio Meurer
Luciene Ribeiro dos Santos

Preparação
Tuca Dantas

Revisão
Cleusa S. Quadros

Produção editorial
Ciranda Cultural

Diagramação
Linea Editora

Design de capa
Ciranda Cultural

Imagens
alex74/shutterstock.com;
YurkaImmortal/shutterstock.com;
Elena Iargina/shutterstock.com;
linabob/shutterstock.com;
Malashkos/shutterstock.com;
alex74/shutterstock.com;
ntnt/shutterstock.com;
allskvor/shutterstock.com

Dados Internacionais de Catalogação na Publicação (CIP) de acordo com ISBD

L445a Leblanc, Maurice

Arsène Lupin e os enigmas / Maurice Leblanc; traduzido por Luciene Ribeiro dos Santos e Antônio Meurer. - Jandira, SP : Ciranda Cultural, 2021.

96 p. : 15,50cm x 22,60cm. - (Arsène Lupin)

ISBN: 978-65-5552-553-3

1. Literatura francesa. 2. Mistério. 3. Investigação. 4. Suspense. I. Santos, Luciene Ribeiro. II. Meurer, Antônio III. Título.

CDD 843
2021-0019 CDU 821.133.1-3

Elaborado por Lucio Feitosa - CRB-8/8803

Índice para catálogo sistemático:
1. Literatura Francesa : Ficção 843
2. Literatura Francesa : Ficção 821.133.1-3

1ª edição em 2021
www.cirandacultural.com.br

SUMÁRIO

O ANEL DE ESMERALDA

TRADUÇÃO:
ANTÔNIO MEURER

– É fantástico, minha cara, Olga! A senhora fala dele como se o conhecesse de verdade.

A princesa Olga sorria para suas amigas, que fumavam, amontoadas ao seu redor naquela noite.

Ela continuou a lhes dizer:

– Claro que sim! Eu o conheço.

– A senhora conhece Arsène Lupin?

– Perfeitamente!

– É verdade, então?

– Ao menos conheci alguém que se divertiu fingindo ser um detetive da Agência Barnett e Associados. Hoje, sei que Jim Barnett, bem como todos os funcionários de sua agência de investigação eram, na realidade, Arsène Lupin. Assim...

– Mas ele roubou a senhora?

– Muito pelo contrário! Ele me fez um favor.

– Deve ter sido uma grande aventura!

– De modo algum! Foi uma conversa tranquila, cerca de meia hora, sem nenhum grande drama. Porém, durante esses trinta minutos, tive a impressão de que me encontrava diante de um personagem verdadeiramente extraordinário, que possuía, às vezes, um modo de agir muito simples, mas ao mesmo tempo desconcertante.

Suas amigas encheram-na de perguntas; porém, ela não as respondeu de imediato. Era uma mulher que falava pouco de si, sua vida era misteriosa, até mesmo para seus amigos mais íntimos. Ela havia amado alguém após a morte de seu marido? Havia sucumbido à paixão de um entre os tantos homens que se atraíam por sua ardente beleza, por seus cabelos louros e seus olhos azuis? As más línguas diziam que ela possuía certas fantasias, embora dissessem que na maioria das vezes era fruto de uma curiosidade e não de amor. Porém, no fundo ninguém sabia nada. Nenhum nome poderia ser citado. Naquele dia, estava ela mais expansiva do que de costume. Erguendo um pouco seu véu, ela disse:

– Bem, por que não contaria a vocês sobre essa conversa? Mesmo falando sobre outra pessoa nessa história, o papel que ela desempenhou não me obriga a guardar silêncio. Falarei sobre isso, aliás, muito brevemente, pois sei que estão interessadas apenas por Arsène. Então, nessa época, e para resumir a aventura em uma frase para que todas vocês compreendam aquilo que significou, eu sucumbi a um amor violento e sincero – tenho o direito de empregar essas palavras – por um homem, cujo sobrenome vocês conhecem muito bem: Maxime Dervinol.

As amigas de Olga deram um sobressalto.

– Maxime Dervinol? O filho do banqueiro?

– Sim – disse ela.

– O filho daquele banqueiro vigarista, falsificador, que se enforcou no cárcere, no dia seguinte à sua prisão?

– Sim – repetiu a princesa Olga, muito calmamente.

E depois de ter refletido por um instante, ela continuou:

– Por ser cliente do banqueiro Dervinol, eu fui uma de suas principais vítimas. Pouco tempo após o suicídio de seu pai, Maxime, o qual eu já conhecia, veio ver-me. Rico por seu próprio trabalho, ele se propôs a pagar todos os credores e pediu-me apenas alguns arranjos, que o obrigava a vir até minha casa algumas vezes. Confesso que sempre tive uma simpatia por ele. Maxime possuía uma extrema dignidade para comigo. O ato de probidade pelo qual estava lutando parecia-lhe ser muito natural, e embora não manifestasse nenhum constrangimento, como se a infâmia de seu pai não pudesse alcançá-lo, sentia nele um sofrimento infinito, uma ferida secreta, que até a menor palavra era capaz de provocar dor.

"Eu o acolhi como um amigo, um amigo que não tardou em se apaixonar, embora ele jamais tenha feito alusão a esse amor, o qual eu via aumentar a cada dia. Se não fosse a ruína de seu pai, certamente ele teria me pedido em casamento. Porém, ele não ousou mais do que havia ousado em declarar, nem mesmo me interrogou a respeito de meus próprios sentimentos. O que teria respondido, caso ele perguntasse? Eu não sei.

Um dia, almoçamos no bosque. Depois, ele me seguiu até este mesmo salão onde estamos agora. Estava preocupado. Eu pus minha bolsa sobre o aparador ao lado, junto com todos os meus anéis e fui tocar as músicas russas que ele tanto amava no piano. Ele escutava atrás de mim, imaginei que estivesse tomado de emoção. Quando me levantei, eu o vi pálido e pensei que ele falaria algo. Enquanto o observava, e confesso que isso estava me inquietando, fui até o aparador e com um gesto distraído comecei a recolocar meus anéis. De repente, parei e sussurrei, muito mais para encurtar uma situação embaraçosa que para expressar meu espanto sobre um fato banal:

– Céus, onde está o meu anel de esmeralda?

Percebi que ele tremia. Então, falou:

– O seu anel com aquela bela esmeralda?

– Sim, aquele anel de esmeralda que o senhor tanta aprecia – disse-lhe, embora não houvesse nenhum pensamento oculto em mim, por trás dessas palavras.

– Mas a senhora estava com ele nos dedos, agora no almoço.

– Sim, de fato estava! Porém, nunca toco piano com os meus anéis. Eu o tirei, e o coloquei sobre este aparador junto com os outros.

– O anel deve estar lá ainda.

– Ele não está.

Percebi que sua palidez aumentava, e que permanecia numa atitude rígida, com uma expressão tão atordoada que terminei zombando:

– Ah, tudo bem! O que fazer? Isso não tem importância. Ele deve ter caído em algum lugar.

– Mas nós o veríamos! – disse ele.

– Não. Talvez tenha rolado para debaixo de algum móvel.

Eu estendi o braço até o botão de uma campainha elétrica, porém ele agarrou meu pulso e disse num tom sobressaltado:

– Um segundo. Precisamos esperar mais um pouco… O que fará?

– Ia chamar a camareira.

– Por quê?

– Para procurar o anel.

– Não, não! Eu não quero! De modo algum!

E tremendo, com o rosto contraído, ele me disse:

– Ninguém entrará aqui, nem mesmo eu ou a senhora sairemos até que a esmeralda seja encontrada.

– Para encontrá-la, é preciso procurar! Olhe atrás do piano!

– Não!

– Por quê?

– Eu não sei… Eu não sei… Mas tudo isso é terrível demais.

– Não há nada de terrível – disse-lhe. – Meu anel caiu. É preciso apenas que procuremos! Vamos!

– Eu lhe suplico… – disse ele.

– Mas por qual razão? Explique-se!

– Céus – disse ele, receando em falar. – Se eu o encontrar em algum canto, a senhora poderá pensar que fui quem o pegou.

Eu fiquei perplexa ao ouvir aquilo, então disse em voz baixa:

– Mas eu não estou desconfiando de você, Maxime!

– Ainda não… Porém, mais tarde, a senhora conseguirá evitar a dúvida?

Eu então compreendi seu pensamento. O filho do banqueiro Dervinol tinha o direito de ser mais sensível e temeroso do que qualquer outro nessa circunstância. Se minha razão contrariava a ofensa de uma acusação, como poderia não conseguir lembrar-me se ele esteve entre mim e o aparador, enquanto eu tocava piano? E, nesse instante, quando nos olhamos profundamente, por que não me espantei com sua palidez e sua angústia? Um outro teria rido em seu lugar. Por que ele não ria?

– Você está enganado, Maxime – disse-lhe. – Porém, vejo um escrúpulo de sua parte, que devo respeitar. Fique onde está, não se mexa.

Eu me abaixei, e olhei entre o piano e a parede, e embaixo da escrivaninha. Depois levantei-me.

– Nada! Eu não vi nada.

Ele estava calado. Seu rosto estava descomposto.

Então, sob a inspiração de uma ideia, eu disse:

– O senhor me deixará agir? Penso que poderíamos...

– Oh! – exclamou ele. – Faça todo o possível para descobrir a verdade. Mas esta é uma decisão séria – acrescentou ele, de modo um pouco pueril. – Um ato imprudente poderia colocar tudo a perder. Aja apenas com a certeza!

Eu o tranquilizei, e após ter consultado a lista telefônica, solicitei à telefonista que me transferisse para a Agência Barnett e Associados. Foi o próprio senhor Jim Barnett quem me atendeu. Sem lhe dar a menor explicação, eu insisti para que viesse sem demora. Ele me prometeu que viria imediatamente.

A partir de então, de um lado começou uma espera, e de outro, uma agitação que não conseguíamos reprimir.

– Foi um dos meus amigos quem me recomendou este tal de Barnett – disse-lhe com um sorriso nervoso. – Parece ser um tipo estranho, enfiado dentro de uma velha casaca, utilizando uma peruca, porém muito inteligente. Somente, devemos ter cuidado, pois ao que parece, ele se paga diretamente com os serviços que presta.

Estava tentando brincar um pouco. Maxime continuava imóvel e sério. De repente, ressoou a campainha do vestíbulo. Quase que imediatamente minha camareira bateu na porta. Ainda exaltada, eu mesma a abri, dizendo:

– Entre, senhor Barnett... Seja bem-vindo!

Fiquei confusa ao ver que o homem que entrava não tinha nada daquilo que eu esperava. Estava vestido com uma elegância discreta. Era jovem, com uma aparência simpática e até confortável, como se nada pudesse pegá-lo desprevenido. Olhou para mim um pouco mais do que o tempo necessário, demonstrando que eu não lhe desagradava. Quando o exame terminou, ele fez uma mesura e disse:

– O senhor Barnett está muito ocupado, por isso me incumbiu com a agradável missão de o substituir, caso esta mudança não lhe aborreça. Permita-me que me apresente: barão de Enneris, explorador, e, quando a ocasião se faz presente, detetive amador. Meu amigo Barnett reconheceu em mim certa qualidade para a intuição e clarividência, as quais divirto-me em cultivar.

Ele disse isso com tanto charme e com um sorriso tão contagiante que me foi impossível recusar sua assistência. Não era um detetive que me propunha seus serviços, mas um homem do mundo que se colocava a minha disposição. E essa impressão foi tão forte dentro de mim que, ao acender instintivamente um cigarro, algo que era um hábito meu, fiz um ato impensável ao lhe oferecer um, dizendo:

– O senhor fuma?

Então, um minuto após a chegada do homem desconhecido, estávamos os dois, um diante do outro, com um cigarro na boca. A cena em si fez com que minha agitação diminuísse, parecendo trazer uma calmaria para a sala. Apenas Dervinol continuava acuado. Então eu o apresentei:

– Senhor Maxime Dervinol.

O barão de Enneris o saudou, porém havia algo em seus gestos que me fizera crer que esse nome, Dervinol, lhe evocava alguma lembrança. Contudo, depois de um tempo, como se não quisesse que essa ligação fosse muito evidente, ele me fez uma pergunta:

– Eu imagino, senhora, que alguma coisa desapareceu em sua casa, estou certo?

Maxime se conteve. Respondi de forma simplória:

– Sim, está certo, está certo... Porém, isso não tem a menor importância.

– Nenhuma? – disse o barão de Enneris sorrindo. – Mesmo assim, este pequeno problema deve ser resolvido, e pelo visto o senhor e a senhora não conseguiram. Essa coisa desapareceu agora?

– Sim.

– Assim é melhor! O problema será mais fácil. O que desapareceu?

– Um anel de esmeralda, o qual eu pus sobre este aparador, junto com meus outros anéis e minha bolsa.

– Por que a senhora tirou seus anéis?

– Para tocar piano.

– E enquanto tocava, este senhor estava perto da senhora?

– De pé, atrás de mim.

– Entre a senhora e a mesa?

– Sim.

– A senhora começou a procurar por seu anel, assim que percebeu seu desaparecimento?

– Não.

– O senhor Dervinol, também não?

– Não.

– Ninguém entrou aqui?

– Ninguém.

– O senhor Dervinol foi quem opôs-se a procurar?

Maxime declarou em um tom aborrecido:

– Sim, fui eu.

O barão de Enneris começou a andar para todos os lados. Caminhava em pequenos passos elásticos, o que trazia a sua figura uma agilidade infinita. E parando diante de mim, ele me disse:

– Tenha a bondade de me mostrar seus outros anéis?

Eu lhe estendi minhas duas mãos. Ele examinou, e imediatamente soltou um leve riso. Parecia estar divertindo-se, em vez de investigando, como se estivesse em um jogo.

– O anel que desapareceu possui um grande valor?

– Sim.

– A senhora poderia precisá-lo?

– Meu anel estava estimado em oitenta mil francos.

– Oitenta mil francos. Perfeito!

Ele ficou extasiado. Tendo virado minha mão esquerda, ele observou a palma da mão por muito tempo, como se estivesse decifrando as linhas.

Maxime franzia a sobrancelha. Era visível que tal homem o deixava horrorizado. Quanto a mim, eu teria interrompido aquele gesto chocante. Porém, a pressão, tão doce, que ele fazia, não me permitia ter a menor força para afastá-lo. Estava submissa à influência de sua autoridade e de sua maneira de agir.

No fundo, estava convencida de que ele havia resolvido o enigma, pelo menos do ponto de vista do caso em si. Ele não me perguntou mais nada. Mas não duvidei de que as duas ou três anedotas que ele me contara sobres suas aventuras semelhantes, na verdade, serviam apenas para elucidar nosso caso. Ele lançava, por vezes, um olhar rápido sobre Maxime ou sobre mim, observando a reação produzida por sua história.

Eu protestava dentro de mim. Em vão. Sentia que aos poucos ele descobria, sem nos interrogar, o estado de nossa relação, o amor de Maxime e de meus próprios sentimentos. Eu tentei resistir, e sem dúvida, Maxime também, porém ele desvendou, por assim dizer, todos aqueles segredos que se amontoam em cada um de nós, como as páginas de uma carta. Foi algo enlouquecedor!

Por fim, Maxime disse:

– Sinceramente, não vejo como isso pode nos ajudar.

– Neste caso que nos reuniu aqui? – interrompeu o barão de Enneris. – Mas já estamos imersos nele. O enigma, por si só, não significa grande coisa. Mas a solução que eu proponho a vocês não pode ser baseada em seus humores, quando o pequeno incidente aconteceu.

– Ora! – exclamou Maxime, que tentava conter-se. – O senhor não fez uma só pesquisa. Não retirou nenhum móvel, não viu nada. Não é por meio desta conversa inútil que o senhor devolverá a joia perdida.

O barão de Enneris sorriu docemente:

– O senhor é daqueles que se deixam impressionar com esses cerimoniais habituais, e que desejam extrair a verdade de fatos materiais, enquanto a verdade quase sempre esconde-se em camadas bastante diferentes. O problema que estamos resolvendo hoje não se trata de uma ordem técnica ou policial, mas unicamente de uma ordem psicológica. Minhas provas não se encontram no sucesso de investigações cansativas, mas na contestação irrefutável desses fenômenos físicos, muito especiais, que nos provocam, principalmente em seres impressionáveis e impulsivos, atos que estão além do controle de nossa consciência.

– Está insinuando – articulou Maxime, com uma voz furiosa – que eu cometi um desses atos?

– Não! Não se trata do senhor.

– De quem então?

– Da senhora.

– De mim? – exclamei.

– Sim! A senhora é justamente, assim como todas as mulheres, de uma natureza impressionável e impulsiva à qual me refiro. E permita-me lembrar à senhora que nunca temos o controle absoluto e totalitário sobre a nossa personalidade. Ela muda, não somente em grandes momentos trágicos, quando o nosso destino está em jogo, mas nos momentos mais simples e insignificantes de nossa vida quotidiana. E enquanto continuamos a viver, a pensar e a fazer, o nosso inconsciente toma a direção de nossos instintos e nos faz agir, sem o nosso conhecimento, pelas sombras e frequentemente de modo anormal, absurdo e pouco inteligente.

Ele falava de modo alegre, sem o menor pedantismo, o que me causava uma impaciência. Então lhe disse:

– Peço que o senhor conclua seu pensamento.

Ele respondeu:

– Desculpe-me, senhora, se sou obrigado a fazer isso de uma forma que lhe parece indiscreta, sem me ater às considerações pueris da boa educação e da frugalidade humana. Então, são estes os fatos: há uma hora, a senhora chegou aqui acompanhada pelo senhor Dervinol. Não direi nada que poderá incomodá-la além do fato de que o senhor Dervinol a ama, e jamais conseguirei chegar até a verdade se eu não puder supor que a senhora tinha uma intuição que ele iria declarar seu amor. As mulheres nunca se enganam sobre esses assuntos, e isso sempre é causa de uma perturbação profunda. Como consequência, quando a senhora foi tocar piano e retirou seus anéis - compreenda a importância de minhas palavras! - no instante em que ficaram sozinhos, a senhora, muito mais que o cavalheiro, estava imbuída com uma dessas forças do espírito de que falei agora mesmo, e que, por isso, não tinha a noção exata daquilo que fazia.

- Como ousa? - protestei. - Eu estava lúcida, extremamente lúcida.

- Em aparência sim, bem como para si mesma. Mas, na realidade nunca estamos lúcidos quando ficamos diante de uma crise emocional, por menor que ela seja. Como posso dizer? Isso levaria a senhora a cometer algum erro, um falso julgamento, ou um gesto involuntário.

- Continue...

- Continuando, a senhora teve que realizar, mesmo sem querer ou mesmo sem saber, um ato suspeito que é absolutamente contrário ao seu temperamento e mais contrário ainda à lógica da situação. Pois, a verdade é que, independentemente do nome do senhor Dervinol, era inconcebível acreditar antecipadamente, *a priori*, que ele fosse capaz de roubar o seu anel de esmeralda.

Eu fiquei indignada com tal coisa e disse vivamente:

– Eu! Acreditar nisto? Acreditar em tamanha infâmia?

– Certamente não – respondeu o barão de Enneris. – Mas o seu inconsciente a manobrou como se a senhora de fato acreditasse nisso, e então, furtivamente, por baixo de seus olhos e de seu pensamento, ele fez uma escolha entre os seus anéis que não possuem valor, cujas pedras são falsas, assim como muitas pedras comumente usadas, escolhendo a sua esmeralda, a qual não é falsa, e que vale oitenta mil francos. E com a escolha feita, sem que soubesse, colocou os outros anéis sobre o aparador, em grande destaque. Depois, a senhora, ainda sem saber, pôs a preciosa e magnífica esmeralda num local seguro e imune a qualquer tentativa de busca.

Tal acusação me deixou fora de mim mesma.

– Mas isso é inadmissível! – gritei com força. – Eu teria percebido.

– A prova é que a senhora não percebeu!

– Então, está insinuando que a esmeralda está comigo?

– Não, ela continua no mesmo local onde a colocou.

– O que está dizendo?

– Sobre o aparador.

– O anel não está aqui. O senhor não vê que não está aqui?

– Está sim.

– Como? Aqui só há a minha bolsa.

– Está certa! E ele está dentro de sua bolsa, senhora.

Eu encolhi os ombros.

– Na minha bolsa?! O que está insinuando?

Ele insistiu.

– Eu lamento, senhora, estar parecendo um mágico de circo ou um charlatão. Mas a senhora me contratou para encontrar um anel perdido: por isso devo lhe dizer onde ele está.

– Ele não pode estar ali!

– Ele não pode estar em outro lugar!

Eu provei um sentimento estranho. Eu queria, sem dúvida, que ele estivesse ali, mas teria ficado feliz também se o anel não estivesse, e que esse homem fosse humilhado pelo fracasso de sua previsão.

Ele me fez um sinal, e, apesar de tudo, eu o obedeci. Peguei a bolsa, abri e procurei febrilmente entre os muitos objetos que ela carregava. E lá estava o anel de esmeralda.

Eu fiquei perplexa. Não acreditava em meus olhos e me perguntava se era o anel verdadeiro que eu estava segurando em minhas mãos. Mas sim, era ele. Não havia possibilidade de erro. Então... Então, o que pode ter acontecido comigo para que pudesse agir de um modo tão insólito e injurioso para com Maxime Dervinol?

Diante da minha confusão, o barão de Enneris não escondeu sua alegria e devo até dizer que ele teria vencido, se tivesse se expressado com mais moderação. A partir daquele instante, seus gestos tão corretos de um homem do mundo deram lugar à exuberância de um profissional que conseguiu aplicar um belo golpe.

– Aí está! – disse ele. – São essas as pequenas peças que o nosso instinto nos prega quando não estamos vigilantes. É um diabinho que nos sabota. E ele opera em regiões tão obscuras que a senhora jamais teria tido a ideia de procurar em sua bolsa. Teria procurado em todos os lugares e acusado o mundo inteiro, incluindo o senhor Dervinol, antes de suspeitar desse objeto intangível e inocente para o qual a senhora confiou um tesouro. De certo modo, senhora, isso não seria um pouco cômico? Com a luz lançada sobre as profundezas invisíveis de nossa natureza! Somos orgulhosos por nossos sentimentos e por nossa dignidade, e cedemos às ordens misteriosas de poderes escondidos. Temos este amigo, que muito nos estima, porém nos ultraja sem o menor problema. Na verdade, não há o que compreender.

Ele fez seu pequeno discurso, com uma espécie de zombaria irônica. Tive a impressão de que o barão de Enneris havia desaparecido e que em seu lugar surgiu o verdadeiro colaborador da Agência Barnett, o qual agora operava com seu rosto real, seus hábitos pessoais, sem máscara ou gestos emprestados de outro.

Maxime avançou com os punhos cerrados. O outro logo endireitou-se, fazendo com que parecesse maior do que era.

Então, aproximou-se de mim, beijou minha mão, algo que não havia feito enquanto era o barão de Enneris, e me olhou direto nos olhos. Depois, pegou seu chapéu, com um gesto largo e um pouco teatral, fez uma saudação e afastou-se, satisfeito consigo mesmo, enquanto repetia:

– Que belo caso este... Adoro tratar desses pequenos casos. São a minha especialidade. À sua inteira disposição, senhora.

A princesa Olga havia terminado o seu relato. Ela acendeu casualmente um cigarro e sorriu para suas amigas, que tão logo voltaram a exclamar:

– E depois?

– Depois?

– Sim, a história do anel terminou. Mas e a sua?

– A minha também terminou.

– Não nos faça desfalecer! Conte até o final, Olga, agora que já confidenciou quase tudo.

– Meu Deus, como vocês são curiosas! Bem, o que vocês querem saber?

– Primeiramente, o que aconteceu com Maxime Dervinol e sua paixão.

– Isso não é grande coisa. Havia duvidado dele escondendo, intencionalmente ou não, o anel de esmeralda. Amargurado e inquieto, ele sofreu muito, e não me perdoou. Depois, ele cometeu um ato não muito educado, o que apenas nublou o meu espírito. Irritado contra o barão de Enneris, ele enviou um cheque de dez mil francos, endereçado à Agência Barnett e Associados. O cheque me foi devolvido num envelope, preso a um buquê de flores, com algumas linhas, respeitosas a meu ver, e assinado...

– Pelo barão de Enneris?

– Não.

– Jim Barnett?

– Não.

– Então, por quem?

– Arsène Lupin!

Elas calaram-se novamente. Uma de suas amigas observou:

– Qualquer um poderia ter assinado.

– Evidentemente.

– A senhora não procurou saber?

A princesa Olga não respondeu, e sua amiga continuou:

– Eu lhe digo, Olga, que Maxime Dervinol não lhe era mais interessante. Do começo ao fim dessa aventura, ele foi dominado por esse enigmático personagem que soube, com muita habilidade, fazer com que a sua atenção caísse sobre ele, e que isso aguçasse a sua curiosidade. Seja franca, Olga, sua conduta expressa algum desejo em poder revê-lo.

A princesa não respondeu. A amiga, a qual por vezes era muito franca e até a provocava, continuou:

– Por fim, Olga, a senhora ficou com seu anel e Dervinol com seu dinheiro. Nada lhe foi roubado, ao contrário dos princípios de Barnett, que sempre se pagava com algo, a senhora mesma disse que os serviços não foram cobrados. Ele poderia muito bem ter escondido o anel de esmeralda, se tivesse vasculhado ele mesmo sua bolsa, porém não o fez, pois talvez esperasse por alguma coisa melhor que um anel. Isso me faz lembrar algo que me contaram, que uma vez, não tendo conseguido nada, ele raptou a esposa do seu devedor e saiu em um cruzeiro com ela. Que bela forma de se recompensar e que corresponde bem aos traços e às caraterísticas do homem que descreveu para nós. O que pensa, Olga?

Olga saiu em silêncio. Sentou-se em uma poltrona, com os ombros descobertos, com seu corpo esbelto esticado, enquanto observava dissipar a fumaça de seu cigarro. Na sua mão, resplandecia o magnífico anel de esmeralda.

O HOMEM DA PELE DE CABRA

TRADUÇÃO:
ANTÔNIO MEURER

O vilarejo estava aterrorizado.

Era um domingo. Os camponeses de Saint-Nicholas e dos arredores saíam da igreja e espalhavam-se ao redor da praça, quando, de repente, as mulheres que caminhavam à frente, quase chegando à estrada principal, voltaram correndo, gritando de pavor.

Logo em seguida, todos puderam ver, enorme, terrível, tal como um monstro, um automóvel que saía em um ritmo vertiginoso. Entre os gritos e a corrida frenética das pessoas, o carro seguiu em direção à igreja, desviando no justo momento em que iria chocar-se com os degraus; arrastou a lataria na parede do presbitério e voltou para a rodovia nacional, afastando-se sem ter ferido com a máquina diabólica – milagre esse inexplicável – uma só pessoa que se encontrava na praça. E então desapareceu.

Porém, tinham visto! Tinham visto, recostado no assento, coberto com uma pele de cabra, usando um gorro de pele, com o rosto escondido atrás dos óculos com lentes grossas, o homem que conduzia o veículo. E, ao seu lado, na frente do assento, curvada e dobrada, havia uma mulher cuja cabeça ensanguentada estava apoiada acima do capô.

Todos haviam ouvido! Haviam ouvido os gritos dessa mulher, gritos de terror e de agonia.

E foi tal a visão daquela carnificina infernal que as pessoas continuaram por alguns segundos, imóveis, boquiabertas.

– Sangue! – gritou alguém.

Havia sangue por todos os lados, sobre os seixos da praça, sobre o chão, endurecido pelos primeiros flocos de gelo do outono. E quando as crianças e os homens quiseram correr atrás do automóvel, precisaram apenas seguir uma trilha de marcas sinistras.

Eles seguiram em direção à estrada principal, porém de um modo estranho: os rastros iam de um lado ao outro, as marcas dos pneus formavam uma trilha terrível em ziguezague, que chegava a dar calafrios. Como o carro não se chocou contra aquela árvore? Como conseguiu contorná-la sem cair na encosta? Seria um motorista inexperiente, um louco, um bêbado ou um criminoso assustado que conduziu aquele veículo de forma tão desordenada?

Um camponês disse:

– Jamais conseguirá fazer a curva quando chegar à floresta.

E um outro disse:

– Céus, não! Ali tem uma descida!

A quinhentos metros de Saint-Nicholas começava a floresta de Morgues, a estrada seguia em linha reta até lá, fazendo apenas uma ligeira curva na saída do vilarejo, com uma subida na entrada da floresta, onde havia então uma curva brusca entre as rochas e as árvores. Nenhum carro conseguia passar por essa curva sem desacelerar. Placas de sinalização indicavam o perigo. Já sem fôlego, os camponeses chegaram às faias que margeavam a encosta.

Imediatamente, um deles gritou:

– Aqui está ele!

– O quê?

– Caiu!

O carro – um automóvel luxuoso – jazia virado, destruído, torcido, disforme. Perto dele, havia o cadáver da mulher. Porém, a visão mais assustadora, vil e atônita era que a cabeça da mulher fora esmagada, achatada, havia desaparecido sob um bloco enorme de pedra, posto ali por alguma força prodigiosa e desconhecida.

Quanto ao homem da pele de cabra, não encontraram nenhum rastro dele. Não o acharam dentro do veículo, nem mesmo nos arredores do acidente. Além disso, os operários que haviam descido pela enseada de Morgues disseram não terem encontrado ninguém pelo caminho.

Então, talvez o homem tivesse fugido para o bosque. Esse bosque, o qual chamamos de floresta devido a sua beleza e a sua antiguidade das árvores, possuía dimensões restritas. A polícia, alertada rapidamente pelos camponeses, vasculhou tudo meticulosamente. Não encontraram nada. O mesmo ocorreu com os investigadores, que fizeram uma análise profunda durante dias e não conseguiram lançar o menor rastro de luz sobre esse fato inexplicável. Pelo contrário, as investigações fizeram surgir outros enigmas e outras implausibilidades.

Constataram que o bloco de pedra provinha de um deslizamento a pelo menos quarenta metros de distância. O assassino, em alguns minutos, teria carregado o bloco e jogado sobre a cabeça de sua vítima.

Por outro lado, esse assassino, que com toda a certeza, não estava escondido na floresta – caso contrário ele teria sido inevitavelmente descoberto – oito dias após o crime, teve a audácia de retornar à curva da enseada e deixar sua pele de cabra. Por quê? Por qual objetivo? O sobretudo de pele não continha nenhum objeto, com exceção de um saca-rolhas e de um lenço. E então o que aconteceu? Entraram em contato com o fabricante do carro, o qual reconheceu o automóvel luxuoso, por ter vendido três dele no ano anterior, para um russo, o qual, segundo o fabricante, havia revendido imediatamente. Mas para quem? O carro não possuía número de registro.

Do mesmo modo, foi impossível identificar o cadáver da morta. Suas roupas não trouxeram nenhuma informação.

Quanto ao seu rosto era desconhecido.

No entanto, os emissários da polícia refizeram o caminho inverso da rodovia, tentando seguir os passos dos atores desse drama misterioso. Mas quem poderia garantir que, na noite anterior, o automóvel havia seguido esse trajeto? Verificaram e interrogaram. Enfim, conseguiram estabelecer que, naquela noite, a trezentos quilômetros do vilarejo, numa pequena cidade situada ao longo de uma importante estrada, que comunicava-se com a rodovia nacional, um carro luxuoso havia parado diante de um armazém.

O condutor primeiramente encheu o tanque de gasolina, comprou azeite e latas sobressalentes, depois comprou algumas provisões, como presunto, frutas, biscoitos, vinho, e meia garrafa de conhaque Trois Étoiles. No banco da frente havia uma mulher. Ela não desceu do veículo. As cortinas estavam fechadas e uma delas tremeu diversas vezes. O garoto do armazém não tinha dúvida de que havia mais alguém no interior.

Se o testemunho desse garoto estivesse correto, o problema se complicaria ainda mais, pois não havia nenhuma evidência que revelava a presença de uma terceira pessoa.

Nesse ínterim, sabendo que os viajantes estavam munidos com provisões, faltava estabelecer o que eles haviam feito, e o que houve com os restos dessas provisões.

Os investigadores refizeram seus passos. Porém, foi apenas na bifurcação entre as duas estradas, a dezoito quilômetros de Saint-Nicholas, que um pastor de ovelhas, indagado pelos agentes, revelou ter encontrado, em uma campina vizinha, escondido por uma cortina de arbustos, uma garrafa vazia e várias outras coisas. Ao primeiro exame, os investigadores ficaram convencidos. O automóvel havia estacionado ali, e os desconhecidos, provavelmente, após uma noite de descanso, retomaram sua viagem ainda pela manhã. Como prova irrefutável, eles haviam encontrado a garrafa de conhaque Trois Étoiles comprada no armazém.

A garrafa havia sido quebrada, rente ao gargalo.

Recolheram a pedra utilizada, bem como o gargalo ainda selado com a tampa. Sobre o selo de metal viu-se os vestígios das tentativas feitas para abrir normalmente a garrafa. Os investigadores continuaram suas buscas, e seguiram por uma vala que contornava a campina, perpendicularmente à estrada. Ela terminava em uma pequena fonte, escondida sobre amoreiras silvestres, de onde exalava um odor pútrido.

Ao erguerem as amoreiras, eles viram um cadáver, o cadáver de um homem, cuja cabeça esmagada tornou-se uma espécie de mingau onde os animais enxameavam ao redor. Ele estava vestindo uma calça e um casaco de couro marrom. Os bolsos estavam vazios. Não havia com ele nenhum papel, ou carteira, ou relógio.

Dois dias depois, o dono do armazém e o atendente foram convocados às pressas, reconhecendo formalmente, por suas roupas e sua estatura, o viajante que na véspera do crime havia comprado provisões e gasolina.

Assim o caso inteiro recomeçava sobre novas evidências. Não se tratava mais de um crime com dois personagens – um homem e uma mulher – onde ele havia matado ela, mas sim de um crime com três personagens, com duas vítimas, e um deles era precisamente o homem acusado de ter matado sua companheira.

Quanto ao assassino, não havia dúvidas. Era o terceiro personagem que viajava no automóvel, e que tomou a precaução de ficar escondido atrás das cortinas. Ele livrou-se do motorista, o despiu, depois feriu sua esposa, e a levou em direção à uma verdadeira corrida da morte.

Era um caso novo, com descobertas imprevistas e testemunhos inesperados. Poderia se esperar que o mistério fosse esclarecido ou que ao menos o curso das investigações levasse até a verdade. Porém, nada disso aconteceu. Um cadáver juntava-se ao primeiro cadáver. Problemas trouxeram mais problemas. A acusação de assassinato mudou de um para o outro. Isso era tudo.

Além dos fatos tangíveis, evidentes, havia apenas e tão somente a escuridão.

O nome da mulher, o nome do homem e o nome do assassino continuavam um enigma.

E o que houve com o assassino? Apenas o fato de ele ter desaparecido instantaneamente já era um fenômeno um tanto curioso. Porém, o fenômeno foi tocado por um milagre, pois o assassino não havia desaparecido por completo! Ele estava ali! Ele retornou ao local da catástrofe. Além do sobretudo de pele, encontraram o gorro. E prodígio admirável foi que, numa manhã, após uma noite inteira passada procurando entre os rochedos da famosa curva, acharam os óculos do motorista, quebrados, enferrujados, sujos, impossibilitados de uso. Como o assassino trazia seus óculos sem que os investigadores o vissem?

E ficaria melhor. Na noite seguinte, um camponês, obrigado a atravessar a floresta, levou consigo, por precaução, seu rifle e seus dois cães, quando parou ao ver uma sombra passando na escuridão. Seus cães – dois cães-lobos meio selvagens e com um vigor excepcional – saltaram no meio do matagal, começando uma perseguição.

Ela durou pouco. Logo depois, o camponês ouviu dois uivos horríveis, que terminaram em lamentos de agonia. E depois o silêncio, o silêncio absoluto.

O camponês fugiu aterrorizado, abandonando seu rifle.

No dia seguinte, não localizou nenhum dos dois cães. Foi encontrado apenas a coronha do rifle. Quanto ao cano da arma, ele foi visto, logo em frente, enterrado no chão, e com uma flor posta em um dos bocais, era um narciso de outono, que fora colhido a cinquenta passos dali!

O que isso significava? Por que essa flor? Por que essas complicações naquele crime? Por que esses atos inúteis? A razão encontrava-se imersa sob tais anomalias. Era com uma espécie de medo que se arriscavam nessa aventura equívoca. Tinham a sensação de uma atmosfera pesada, sufocante, em que era impossível respirar, que cegava os olhos, e que desconcertava até os mais clarividentes.

O juiz de instrução ficou doente. Depois de quatro dias, seu substituto confessou que o caso lhe parecia ser inextricável. Prenderam dois vagabundos que encontraram no local. Foi perseguido um terceiro que não conseguiram alcançar, e contra o qual não havia provas. Em suma, não havia nada além de desordem, trevas e contradição.

Um acaso conduziu à solução, ou melhor, determinou um conjunto de circunstâncias que levaram ao desfecho. Foi um simples acaso. O redator de um grande jornal parisiense, enviado ao local do crime, resumiu o caso em seu artigo, nos seguintes termos:

Eu repito: é preciso a colaboração do destino. Sem ele, estão todos perdendo seu tempo. Os elementos verossímeis nem ao menos bastam para estabelecer uma hipótese plausível. É uma noite densa, absoluta e angustiante. Não há nada a fazer. Todos os Sherlock Holmes do mundo não veriam um palmo à frente do nariz e Arsène Lupin teria se dado por vencido.

No dia seguinte à publicação desse artigo, o jornal publicava o seguinte telegrama:

Algumas vezes me dei por vencido, mas jamais por bobagens. O caso de Saint-Nicholas é um mistério para crianças de colo.

Arsène Lupin

A resposta ressoou alto. Todos começaram a se lembrar dos casos que despertaram a intervenção do famoso aventureiro. Ele iria intervir realmente? Todos duvidavam. O próprio jornal desconfiou e tomou suas precauções.

A título de garantia – acrescentou o periódico – *inserimos esse telegrama, o qual é certamente obra de algum farsante. Arsène Lupin, embora no passado um mestre do mistério, não falaria desta forma, com essa arrogância infantil.*

Alguns dias se passaram. Cada manhã decepcionava a curiosidade geral, depois ela voltava a se tornar mais viva. Haveria uma resposta? Enfim, o jornal publicou essa famosa carta, tão precisa, tão categórica, em que Arsène Lupin dava a chave do enigma. Aqui está ela em sua integralidade.

Senhor Diretor,

Ao me desafiar, o senhor acertou meu ponto fraco.

Provocado, eu respondo.

E afirmo novamente: o caso de Saint-Nicholas é um mistério apenas para crianças de colo. Não conheço nada que seja tão ingênuo, e a prova dessa simplicidade será justamente a brevidade de minha demonstração.

Essa demonstração pode ser resumida em algumas palavras:

Quando um crime parece escapar da medida ordinária das coisas, quando ele parece algo não natural, estúpido, há muita probabilidade para que a explicação seja encontrada nos motivos extraordinários, extranaturais e extra-humanos. Eu disse que há muita probabilidade, pois é preciso admitir sempre a parte absurda nos eventos mais lógicos e mais simplórios. Mas como podemos enxergar o que de fato existe, não levando em conta o absurdo e a desproporcionalidade do caso?

Desde o início, o caráter muito nítido dessa anomalia me chocou. Os ziguezagues no começo, a estranha direção do automóvel, que disseram ser feito por algum motorista inexperiente. Disseram ser obra de um bêbado ou de um louco. Suposição justificada. Mas nem a loucura nem a embriaguez podem provocar a exasperação de força necessária para transportar, e, sobretudo, em tão pouco tempo, a pedra que esmagou a cabeça da infeliz mulher. Para isso, é preciso de uma força muscular tamanha, que não hesito em ver um segundo ponto dessa anomalia que domina esse caso.

E para que transportar essa pedra enorme, quando basta apenas uma pedra para matar a vítima? E, por outro lado, como que, em queda tão terrível do veículo, o assassino não morreu ou ao menos ficou reduzido a uma imobilidade temporária? Como ele desapareceu? E por que, uma vez tendo desaparecido, ele retornou ao local do acidente? Por que em um dia abandonou seu sobretudo, no outro seu gorro e ainda num outro dia seus óculos?

Anomalias, atos inúteis e estúpidos.

Além disso, por que teria levado essa mulher ferida, moribunda, sentada no banco da frente, onde todo mundo poderia vê-la? Por que não a colocou no interior do veículo, ou a jogou morta em algum canto, como jogou o homem sob as amoreiras silvestres?

Anomalia. Estupidez.

Tudo é um absurdo nesse caso. Tudo ali denota uma incapacidade, uma incoerência, um constrangimento, a tolice de uma criança ou talvez de um selvagem imbecil e furioso, um bruto.

Repare na garrafa de conhaque. Havia um saca-rolhas (encontrado no bolso do sobretudo). Por que o assassino não o usou? Sim, os traços do saca-rolhas são visíveis no selo. Mas a utilização era muito complicada para ele. Ele quebrou a garrafa com uma pedra.

São sempre pedras, observe esse detalhe. É a única arma e o único instrumento empregado por esse indivíduo. É sua arma habitual, é sua ferramenta familiar. Ele mata o homem com uma pedra, a mulher com uma pedra, ele quebra a garrafa com uma pedra.

Um bruto, eu repito, um selvagem furioso, perturbado ou louco súbito. Pelo quê? Céus, justamente por esse conhaque, que ele bebeu num gole só, enquanto o condutor do automóvel e sua companheira comiam na campina. Ele saiu do carro, de onde viajava coberto com uma pele de cabra e usando um gorro de pele, pegou a garrafa, a quebrou, e a bebeu. Aqui está toda a história. Após beber, ele tornou-se um louco furioso, e os matou ao acaso, sem razão. Depois, com um medo instintivo, temendo o inevitável castigo, ele escondeu o cadáver do homem. Em seguida, com ainda mais estupidez, ele levou a mulher ferida consigo e fugiu. E fugiu nesse automóvel, o qual ele nem sabia dirigir, mas que para ele representava a salvação, a impossibilidade de ser pego.

– Mas e o dinheiro? – me diria o senhor. – E a carteira roubada?

– Mas quem lhe disse que ele era o ladrão? Quem disse que não foi o tal vagabundo, o tal camponês, atraídos pelo cheiro do cadáver?

– Mas... Mas... – o senhor continua a se opor. – Mas teríamos então encontrado esse homem bruto, mesmo que tivesse se escondido nos arredores da curva, pois, mesmo com tudo, ele precisaria comer, beber...

– O quê? O senhor não adivinha?

– Não! E mesmo assim, o senhor está certo de que ele continua ali?

– Certamente, e a prova é o camponês que viu sua sombra. E ainda eu acrescentaria o desaparecimento desses dois cães-lobos, cães de guarda que sumiram como poodles de apartamento.

E também, o cano do rifle enterrado estupidamente no chão com uma flor. Isso não é estúpido o suficiente? Não é grotesco? E então não entendeu? Nenhum desses detalhes iluminou sua mente? Não? Então vejamos o detalhe mais simples, para terminar e para responder às suas objeções, indo direto ao ponto. Basta de explicações. Vamos aos fatos. Para que os senhores investigadores possam ir, eles mesmos, até a raiz de tudo. Que os investigadores peguem os seus rifles. Que eles explorem a floresta num raio de duzentos ou trezentos metros, não mais que isso. Mas que em vez de procurarem, com a cabeça baixa, e com os olhos fixos no chão, que eles olhem para o alto, sim, para o alto, entre os galhos e as folhas dos carvalhos mais altos, entre as faias mais inacessíveis. E creia em mim, eles o encontrarão. Ele está lá, desesperado, lamentando, procurando pelos dois que ele matou, esperando-os, não ousando afastar-se, não conseguindo compreender.

Quanto a mim, lamento infinitamente estar retido em Paris, devido a grandes trabalhos e resolvendo alguns casos muito complicados, pois teria um enorme prazer em seguir até o final desta curiosa aventura.

Queira o senhor desculpar-me, bem como meus bons amigos da justiça, e acredite Senhor Diretor em meus sinceros votos de cordialidade.

Assinado: Arsène Lupin

Este foi o resultado: os senhores da justiça, bem como a polícia não deram a menor importância para essa divagação absurda. Porém, quatro cavalheiros que moravam nas redondezas pegaram seus rifles e foram à caça, com os olhos para o alto, como se fossem atirar em algum corvo. Depois de meia hora, eles encontraram o assassino. Dois tiros: ele foi caindo de galho em galho.

Apenas feriu-se. Eles o capturaram.

À noite, um jornal de Paris, o qual ainda não tinha conhecimento sobre essa captura, publicou a seguinte nota:

Ainda sem notícias sobre um senhor e uma dama de sobrenome Bragoff, os quais desembarcaram há seis semanas em Marseille, onde alugaram um automóvel.

Morando na Austrália há muitos anos, eles vieram à Europa pela primeira vez, informando ao diretor do Jardim de Aclimatação, com o qual eles mantinham correspondência, que haviam trazido consigo um ser estranho, de uma espécie absolutamente desconhecida, de quem não poderiam dizer se era um homem ou um macaco.

De acordo, com o senhor Bragoff, arqueólogo de renome, eles estavam na presença de um macaco hominoide, ou talvez de um macaco cuja existência era até então desconhecida. Sua estrutura é exatamente semelhante à do Pithecanthropus erectus, *descoberto em Java, em 1891, pelo doutor Dubois, e algumas particularidades parecem dar razão às teorias do naturalista argentino senhor Ameghino, o qual, com os fragmentos de crânio encontrados durante os trabalhos de escavação no porto de Buenos Aires, pôde reconstituir o* Diprothomo.

Inteligente, observador, esse animal singular servia de criado aos seus mestres, em sua propriedade na Austrália, limpando seu automóvel e até tentando dirigir.

O que aconteceu com o senhor e a doutora Bragoff? O que aconteceu com o estranho primata que os acompanhava?

A resposta para essa pergunta era agora muito fácil. Graças às indicações de Arsène Lupin, podemos conhecer todos os elementos desse caso. Graças a ele, o culpado encontrava-se nas mãos da justiça.

Podemos vê-lo no Jardim de Aclimatação onde ele está preso, com o nome de Trois Étoiles. É na verdade um macaco. Mas também um homem. Ele possui a gentileza e sagacidade de animais domésticos e a mesma tristeza que eles possuem quando morre seu dono. Porém, há muitas outras características que o unem à humanidade. Ele é enganador, cruel, preguiçoso, ganancioso, irritado, e, sobretudo, ele tem pelo conhaque uma paixão sem limites.

Fora isso, ele é decididamente um macaco.

A menos que…

Alguns dias após sua prisão, eu vi, imóvel diante da cela, Arsène Lupin, sem dúvida alguma, procurando resolver esse enigma. Imediatamente, eu digo a ele –, pois estava carregando isso em meu peito:

– Lupin, saiba o senhor que a sua intervenção neste caso, sua explicação, sua carta não me tocaram.

– Ah! – exclamou ele tranquilamente. – E por quê?

– Por quê? Porque essa mesma aventura já foi feita há setenta ou oitenta anos. Edgar Poe fez disso o assunto de um de seus mais belos contos[1]. Assim a chave do enigma foi encontrada facilmente.

Arsène Lupin segurou em meu braço e me disse:

– Quando o senhor descobriu?

Eu confessei:

– Ao ler a sua carta.

– Em qual parte de minha carta?

– Quase no fim.

– Quase no fim! Depois de eu ter colocado os pingos nos "is". Aqui está um crime repetido pelo acaso, em circunstâncias evidentemente diferentes, mas com a mesma espécie de protagonista, e o senhor, assim como os outros, precisava apenas abrir os olhos. Foi preciso o socorro vindo de minha

[1] O conto citado pelo autor é *Os assassinatos na rua Morgue*, escrito por Edgar Allan Poe, em 1841. (N.T.)

carta, carta esta que me diverti – além de constrangido pelos fatos – ao empregar a mesma explicação, e, algumas vezes, até os mesmos termos usados pelo grande poeta americano. O senhor bem vê que minha carta não foi de todo inútil, podemos nos permitir em falar novamente às pessoas aquilo que elas aprenderam apenas para esquecer.

Lupin, virou-se e riu do velho macaco que meditava com a séria expressão de um filósofo.

O MISTÉRIO DA TAPEÇARIA FURTADA

TRADUTOR:
ANTÔNIO MEURER

Há três anos, à chegada do trem vindo de Brest à estação de Rennes, encontraram demolida a porta de um vagão de carga fretado por um rico argentino, o coronel Sparmiento, que viajava com sua esposa no mesmo trem. O vagão violado transportava um opulento lote de tapeçarias. A caixa, que continha a mais valiosa peça, fora aberta e a tapeçaria desaparecera.

O coronel Sparmiento apresentou queixa contra a Companhia da Estrada de Ferro e reclamou indenização pelos prejuízos consideráveis que sofrera, pois a perda dessa peça diminuía em muito o valor da coleção. A polícia prometeu tomar providências. A companhia ofereceu um prêmio importante a quem descobrisse o objeto roubado. Duas semanas mais tarde, uma carta mal fechada, aberta "por acaso" na repartição dos Correios, revelou que o roubo fora efetuado sob a direção de Arsène Lupin e que um importante volume, muito suspeito, partiria na manhã seguinte com destino à América do Norte. Na mesma tarde, descobriam a tapeçaria numa mala deixada em consignação na estação de Saint-Lazare.

O golpe falhara. Lupin sofreu tal decepção que exalou seu mau humor em uma mensagem dirigida ao coronel Sparmiento, com estas palavras suficientemente claras:

> *Tive a generosidade de só retirar uma pequena parte do lote. Na próxima vez, lançarei mão dos doze volumes. Saudações.*
>
> *A. Lupin*

O coronel Sparmiento residia, havia já alguns meses, em um prédio situado no fundo de um pequeno jardim, no ângulo da Rua de la Faisanderie com a Rua Dufresneoy. Era um homem forte, de ombros largos, cabelos negros, tez morena e que se vestia com sóbria elegância. Desposara uma jovem inglesa extremamente bela, mas de saúde precária e a quem a aventura das tapeçarias afetara profundamente. Desde o primeiro instante, rogara a seu marido que as vendesse por qualquer preço, mas o coronel era de uma natureza enérgica e muito obstinado para ceder ao que tinha o costume de chamar um "capricho de mulher". Não vendeu. Porém, multiplicou as precauções, cercando-se de todos os meios próprios para evitar o mais ousado roubo.

Primeiramente, para ter, apenas, que vigiar a fachada – a face que dava para o jardim –, mandou murar todas as janelas do andar térreo, que abriam para a Rua Dufresnoy. Em seguida, solicitou o concurso de uma empresa especializada em segurança patrimonial e colocou, em cada janela da galeria, onde as tapeçarias foram penduradas, aparelhos de alarme, invisíveis, cujo segredo somente o coronel conhecia, e que, ao menor contato, acendiam todas as lâmpadas elétricas da casa e faziam funcionar um sistema de campainhas.

As empresas de seguros, às quais se dirigiu, não consentiram em assegurar todo o lote a não ser que ele contratasse, à noite, no andar térreo de sua residência, três homens fornecidos por elas e pagos pelo coronel. Para esse fim, escolheram três antigos inspetores de segurança, veteranos no ofício, e aos quais Lupin inspirava ódio profundo.

Quanto aos seus criados, o coronel os conhecia de longa data. Respondia por eles. Tomadas todas essas precauções, o coronel deu uma grande festa de inauguração de sua casa, para a qual foram convidados os membros de dois clubes dos quais era sócio, assim como grande número de senhoras da alta sociedade, jornalistas, amadores e críticos de arte.

Franqueado o portão, tinha-se a impressão de penetrar em uma prisão. Os três inspetores, postados no rés da escada, solicitavam os convites e observavam os recém-chegados com olhar inquisidor. Só faltava passar os convidados em revista e tomar-lhes as impressões digitais. O coronel, que recebia no primeiro andar, desculpava-se, rindo, feliz em poder explicar a razão de tanta cautela, que imaginava tomadas em prol da segurança de suas tapeçarias.

Sua esposa mantinha-se ao seu lado, encantadora de juventude e de graça, loura, pálida, flexível, com um ar melancólico e meigo, esse ar de resignação dos seres aos quais o destino ameaça.

Tendo os convidados chegado, fecharam o portão do jardim e as portas do vestíbulo. Depois, passaram todos para a galeria central, à qual se acedia por duplas portas blindadas e cujas janelas, munidas com enormes fechos, eram protegidas, além disso, por grades de ferro internas. Aí se encontravam os doze lotes de tapetes. Eram obras de arte incomparáveis que, inspirando-se na famosa tapeçaria de Bayeux, atribuída à rainha Matilde, representavam a história da conquista da Inglaterra. Encomendadas no século XVI pelo descendente de um homem de armas, que fora ajudante de campo de Guilherme, o Conquistador, e executadas por um célebre tecelão de Arras, Jehan Gosset, as tapeçarias tinham sido descobertas, quinhentos anos depois, no fundo de uma velha mansão da Bretanha. Avisado, o coronel arrematara o lote por apenas cinquenta mil francos. Os tapetes valiam vinte vezes mais.

Porém, a mais bela das peças da série, a mais original, fora exatamente a que Arsène Lupin roubara, e a polícia conseguira recuperar. Representava Edith Swanneck – Edith Pescoço de Cisne[2] – procurando, entre os mortos de Hastings, o cadáver de seu bem-amado, Haroldo, o último rei saxão. Diante desse tapete – ante a beleza ingênua do desenho, os coloridos apagados, o agrupamento animado dos personagens e a tristeza terrível da cena –, os convidados se entusiasmaram. Edith Swanneck, a rainha infortunada, vergava o busto gracioso, como um lírio a suportar um grande peso. Seu vestuário, todo

[2] Edith Swannesha (c. 1825 – c. 1086) ou Edith Swanneck (que significa Pescoço de Cisne) foi a primeira esposa (ou amante) de Haroldo II da Inglaterra. Reza a lenda que foi Edith Swanneck quem identificou o corpo do rei, terrivelmente mutilado, após a batalha de Hastings, travada em 14 de outubro de 1066. (N.E.)

branco, revelava seu corpo emagrecido. Suas longas mãos, finas, estendiam-se em um gesto de horror e de súplica. E nada mais doloroso que o seu perfil, seu desesperado e melancólico sorriso.

– Sorriso pungente – notou um dos críticos, a quem ouviam com deferência. – Um sorriso cheio de encanto e que me faz pensar, coronel, no sorriso de madame Sparmiento.

E como isso parecia justo, insistiu:

– Há outros pontos de semelhança, que me chocaram imediatamente, como a curva graciosa da nuca, a delicadeza das mãos, e, também, qualquer coisa na silhueta, na atitude habitual.

– É bem verdade! – confessou o coronel. – Foi justamente essa semelhança o que me levou a arrematar todo o lote. E havia, mesmo, outra razão. É que, por coincidência verdadeiramente curiosa, minha mulher se chama, exatamente, Edith... Edith Pescoço de Cisne, é como eu a chamo, desde então!

E acrescentou, rindo:

– Desejo que as analogias se detenham por aqui, e, que a minha querida Edith não tenha, como a pobre apaixonada da história, de procurar o cadáver de seu bem-amado.

Sorriu ao pronunciar essas palavras, mas seu sorriso não obteve eco na ocasião nem nos dias que se seguiram. Em todas as descrições e narrativas a respeito dessa elegante festa noturna, reinou a mesma impressão de aborrecimento e de silêncio. Os assistentes não sabiam o que dizer. Alguém quis gracejar:

– Você, ao menos, não se chama Haroldo, coronel?

– Ah, não! – declarou ele alegremente. – Nem mesmo me pareço com o rei saxão.

Todo mundo, depois, foi de acordo em afirmar que, nesse momento, quando o coronel terminava sua frase do lado das janelas (se a da direita ou a do meio, as opiniões variavam sobre esse ponto), houve um primeiro toque de campainha, breve, agudo, sem modulações. Esse toque foi seguido de um grito de terror, saído da garganta de madame Sparmiento, agarrando nervosamente o braço de seu marido. Este exclamou:

– Que foi? Que significa isso?

Imóveis, os convidados olhavam para as janelas. O coronel repetiu:

– Que foi? Não compreendo... Somente eu conheço o local do quadro de campainhas...

E, no mesmo instante – também sobre esse ponto, as testemunhas eram acordes –, a mais completa escuridão reinou na casa e, imediatamente, em toda a casa ecoou o barulho infernal produzido pelas sirenes.

Durante alguns segundos, foi uma desordem incontrolável, um terror louco. As mulheres vociferavam. Os homens esmurravam as portas fechadas. Houve empurrões violentos, lutas mesmo. Muitos caíram e foram pisoteados. Dir-se-ia uma multidão enlouquecida de terror ante a ameaça das chamas ou da detonação dos obuses. E, dominando o tumulto, ouvia-se a voz do coronel, que vociferava:

– Silêncio! Não se mexam! Respondo por tudo! O interruptor fica ali, naquele canto… Cá está!

De fato, tendo aberto caminho através dos convidados, chegou ao ângulo da galeria e, subitamente, a luz elétrica jorrou de novo, enquanto cessava o toque ensurdecedor das sirenes.

Então, na claridade brusca, um estranho espetáculo surgiu. Duas senhoras tinham perdido os sentidos. Sustentada pelo braço de seu marido, lívida, madame Sparmiento parecia morta. Os homens, pálidos, com a gravata desfeita, pareciam combatentes.

– As tapeçarias estão intactas! – gritou alguém.

Alguns quadros, suspensos às paredes, também continuavam a ornamentar a sala e, embora o barulho infernal enchesse toda a casa, embora as trevas reinassem por toda parte, os inspetores não tinham visto ninguém entrar.

– De resto – disse o coronel –, somente as janelas da galeria são munidas de campainhas e esses aparelhos, cujo segredo só eu conheço, não estavam preparados para funcionar agora.

Riu-se muito do alarme e de seus efeitos, porém ria-se sem convicção. E todos tiveram o mesmo pensamento: deixar aquela casa onde se respirava, apesar de tudo, uma atmosfera de inquietação e angústia.

Dois jornalistas, entretanto, permaneceram ainda algum tempo, e o coronel juntou-se a eles, depois de ter tranquilizado Edith, que se recolheu ao seu quarto, onde a deixou aos cuidados da criada. Juntos, os três, acompanhados pelos detetives, empreenderam uma investigação que não produziu a descoberta do mais insignificante detalhe. Depois – exatamente duas horas e quarenta e cinco minutos da madrugada –, os jornalistas se retiraram. O coronel voltou aos seus aposentos, e os detetives se retiraram para o quarto que lhes fora destinado no andar térreo. Cada um, por sua vez, montou guarda, fazendo de vez em quando uma ronda pelo jardim e subindo até a galeria.

Isso foi pontualmente executado, exceto de cinco horas às sete da manhã, quando o sono importuno debilitou o vigia da guarda. Porém, lá fora, o dia já amanhecera e, ao menor chamado das campainhas, todos seriam facilmente despertados.

No entanto, às sete horas e vinte, quando um deles abriu a porta da galeria e afastou as cortinas, verificou que as doze tapeçarias tinham desaparecido.

Mais tarde, censuraram esses três homens por não haver dado o alarme imediatamente, iniciando, sozinhos, investigações, antes de prevenir o coronel e de telefonar para a polícia. Mas em que esse atraso entravou a ação da polícia?

Seja como for, somente às oito horas e meia o coronel foi avisado do furto. Já estava vestido e se dispunha, pois, a sair. A notícia não pareceu emocioná-lo ou, pelo menos, ele soube conter suas manifestações. Porém, o esforço devia ter sido muito grande, porque, bruscamente, caiu sobre uma cadeira e abandonou-se, por alguns instantes, a um verdadeiro acesso de desespero, bastante penoso de ver em um homem de aparência tão enérgica. Acalmando-se, finalmente, dirigiu-se à galeria, olhou para as paredes nuas, depois, sentou-se diante de uma mesa e rabiscou rapidamente uma carta, que meteu em um envelope e fechou cuidadosamente.

– Tomem isto – disse ele. – Tenho que ir a... Um encontro urgente... Aqui, uma carta para o comissário de polícia.

E porque os inspetores o observavam um pouco surpreendidos, ele acrescentou:

– É minha impressão sobre o roubo... Uma suspeita, que me veio... Ele saberá agir de acordo... Quanto a mim, não descansarei enquanto não desvendar tudo.

E partiu, quase correndo. Pouco depois, o comissário chegava. Entregaram-lhe a carta. Continha estas palavras:

Estou sem recursos há mais de um ano. Eu comprei essas tapeçarias por especulação, esperando vendê-las por um milhão de francos, graças ao burburinho que era feito em torno delas. Já havia recebido, de um norte-americano, uma oferta de seiscentos mil francos. Seria a salvação. Agora, estou perdido...

Que minha adorada esposa perdoe o desgosto que lhe vou causar. Até o último instante, seu nome estará sobre meus lábios.

Preveniram madame Sparmiento.

Enquanto empreendiam buscas e tentavam descobrir o coronel, ela esperou, trêmula de horror. Cerca de quatro horas da tarde, receberam um telefonema de Ville-d'Avray. À subida de um túnel, após a passagem de um trem, havia sido encontrado, pelo sinaleiro da companhia férrea, o corpo de um homem horrivelmente mutilado, e cuja fisionomia nada mais tinha de humana. Os bolsos não continham documento algum. Porém, os poucos sinais correspondiam aos do coronel Sparmiento.

Às sete horas, madame Sparmiento, levada à Ville-d'Avray, reconheceu seu marido.

Nessa circunstância, Lupin, segundo a expressão habitual, não teve a imprensa de seu lado:

Que Lupin se precavenha! – escreveu um cronista irônico, que resumia bem a opinião geral. – *Não serão necessárias muitas histórias iguais a essa para fazê-lo perder toda a simpatia, que não lhe regateamos até agora. Lupin só é aceitável se suas pilhérias são feitas em prejuízo de banqueiros suspeitos, barões ricos, sociedades financeiras e anônimas... E, principalmente, não deve matar! Mãos de ladrão, bem! Mãos de assassino, não! Ora, se não matou verdadeiramente, não deixa de ser o responsável por essa morte. Cobriu-se de sangue. As armas de seu brasão ficaram rubras.*

A cólera e a revolta pública aumentavam pela piedade que inspirava a pálida fisionomia de Edith. Os convidados da véspera falaram. Foram citados os detalhes impressionantes da festa e logo se formou uma lenda em torno da loura criatura, uma lenda à qual emprestavam o caráter verdadeiramente trágico e fatal da aventura popular da rainha do Pescoço de Cisne...

E, no entanto, não era possível deixar de admirar a extraordinária habilidade com que o roubo fora executado. A polícia tentou explicá-lo do seguinte modo: "os detetives haviam verificado, desde logo – e firmado muito depois –, que uma das três janelas da galeria estava aberta de par em par; ora, nessas condições, era evidente que Lupin e seus cúmplices se tinham introduzido ali por essa janela".

Mas, como tinham conseguido: 1º) franquear a grade do jardim, ida e volta, sem serem vistos?; 2º) atravessar o jardim e encostar uma escada à platibanda, sem deixarem o menor vestígio?; 3º) abrir os fechos e a própria janela, sem fazerem funcionar as campainhas e as luzes?

O público, naturalmente, acusou os três detetives. O juiz de instrução interrogou-os longamente, fez uma investigação minuciosa sobre a vida privada de cada um deles e declarou que eles estavam acima de qualquer suspeita.

Quanto às tapeçarias, nada deixava dúvida de que fossem recuperadas.

Foi então que o inspetor principal Ganimard voltou das profundezas das Índias, onde, baseando-se em uma série de provas irrefutáveis, que lhe haviam sido fornecidas por antigos cúmplices de Lupin, seguira a pista do célebre ladrão. Enganado mais uma vez por seu eterno adversário e supondo que este o fizera ir ao Oriente afim de ficar livre em Paris e poder roubar as tapeçarias, pediu a seus chefes uma licença de quinze dias, apresentou-se na casa de madame Sparmiento e prometeu-lhe vingar seu marido.

Edith estava nesse estado em que a ideia da vingança não aliviava a dor que nos tortura. Na mesma tarde do enterro, despedira os três criados – o luzido pessoal que lhe recordava cruelmente o passado – e substituíra.

Indiferente a tudo, fechada em seu quarto, deixava Ganimard livre para agir como bem entendesse.

Este, pois, instalou-se no andar térreo e entregou-se às investigações mais minuciosas. Ao fim de quinze dias, pediu prorrogação de sua licença. O chefe da Polícia de Segurança, que era então o senhor Duduis, foi visitá-lo e surpreendeu-o no alto de uma escadinha de mão, na galeria vazia. O inspetor principal confessou a inutilidade de suas pesquisas. Porém, na manhã seguinte, o senhor Duduis, passando novamente por lá, encontrou Ganimard pensativo, com um rolo de jornais sobre os joelhos...

Interrogado pelo chefe da Polícia de Segurança, murmurou:

– Não sei, chefe... É uma ideia que me veio... Mas, é tão absurda! De resto, não explica tudo. Ao contrário, embaralha as coisas ainda mais!

– Então?

– Por favor, chefe, tenha um pouco de paciência... Deixe-me agir. Mas se, de repente, um dia desses, eu lhe telefonar, será preciso pegar um automóvel e não perder um minuto... Isso significará que o mistério foi desvendado.

Passaram-se ainda quarenta e oito horas. Uma manhã, o senhor Duduis recebeu um telegrama:

Vou a Lille. – Ganimard

– Que diabos irá ele fazer em Lille? – murmurou o chefe da Segurança.

O dia se passou sem notícias. E mais um outro.

Porém, o chefe tinha confiança. Conhecia Ganimard e não ignorava que o velho policial não era desses que se entusiasmam sem razão. Se Ganimard agia, era porque tinha motivos sérios para isso.

De fato, na noite desse segundo dia, o senhor Duduis foi chamado ao telefone.

– É o senhor, chefe?

– É você, Ganimard?

Homens cautelosos, ambos se asseguraram, primeiro, que não se enganavam sobre a identidade um do outro.

Ganimard continuou, agora apressado:

– Mande-me dez homens imediatamente. E venha o senhor também. Por favor!

– Onde está você?

– Ora... Na casa! No andar térreo. Mas eu o esperarei por trás do gradil do jardim.

– Estou indo...

– Sim... Mande o automóvel parar a cem passos. Uma ligeira buzina e eu abrirei...

As coisas foram feitas segundo as prescrições de Ganimard. Pouco depois de meia-noite, como todas as luzes estavam apagadas nos andares superiores, ele esgueirou-se para a rua e foi ao encontro do senhor Duduis. Houve um rápido esclarecimento. Os agentes obedeceram às ordens de Ganimard. Depois, o chefe e o inspetor principal voltaram juntos, atravessaram sem ruído o jardim, fechando-se com grandes precauções.

– Então? – disse o senhor Duduis.

Ganimard sorria. Nunca seu chefe o vira em um tal estado de agitação e o ouvira falar com voz tão precipitada.

– Sim, chefe, desta vez... Custa-me acreditar! Palavra! Mas não estou enganado... Não pode ser...

Enxugou as gotas de suor que banhavam sua fronte e, como o senhor Duduis o interrogava novamente, ele dominou-se e começou:

– Lupin já me tem pregado umas boas...

– Diga, Ganimard – interrompeu o senhor Duduis. – Não será melhor ir diretamente ao que nos interessa? Em duas palavras, que há?

– Não, chefe – objetou o inspetor principal. – É preciso que o senhor conheça as diferentes fases por onde passei. Desculpe-me, mas julgo tudo isso indispensável.

E repetiu:

– Como dizia, Lupin pregou-me umas boas... Mas, nesse duelo, em que sempre fui derrotado até hoje, ao menos ganhei experiência e fui conhecendo o homem e sua tática. Ora, no que diz respeito ao roubo das tapeçarias, fui logo levado a fazer a mim mesmo duas perguntas. A primeira é esta: Lupin, hábil como é, sabia que o senhor Sparmiento estava arruinado e que o desaparecimento das tapeçarias iria levá-lo ao suicídio. Ora, Lupin tem horror a sangue. Como, pois, resolveu roubá-los?

– Ora, a tentação dos quinhentos ou seiscentos mil francos que elas valiam– observou o senhor Duduis.

– Não, chefe, por nada neste mundo, mesmo por milhões. Lupin não mata. Nem mesmo deseja ser a causa de uma morte. Eis o primeiro ponto. E o segundo é este: por que esse barulho infernal, na véspera, à noite, durante a festa de inauguração da galeria? Evidentemente, não seria para atemorizar, para criar em torno do caso, e em poucos minutos, uma atmosfera de inquietação, de terror e, finalmente, para desviar as suspeitas de uma verdade que, talvez, fosse suspeitada sem isso? Não compreende, chefe?

– Não. Palavra que não!

– Sim... – concordou Ganimard. – Não está claro... Eu mesmo, ao formular essas perguntas, não compreendia bem. No entanto, tinha a impressão de estar seguindo uma boa pista. Sim, era fora de dúvida que Lupin queria desviar as suspeitas... Desviá-las... Sobre si mesmo! A fim de que a criatura que dirigia a operação permanecesse conhecida.

– Um cúmplice? – insistiu o senhor Duduis. – Um cúmplice que, entre os convidados, fez funcionar as campainhas... E, à saída da festa, pôde dissimular-se em algum canto da casa.

– Isso... Isso... Está esquentando, chefe! É bem verdade que, se as tapeçarias não poderiam ter sido furtadas por alguém que se introduziu disfarçadamente na casa, o foram por alguém que permaneceu no interior da casa; e não menos certo que, examinando a lista de convidados e procedendo a um verdadeiro inquérito sobre cada um deles, seria possível!...

– Então?

– Infelizmente, há um "mas", chefe. É que os treze detetives tinham a lista dos convidados e quando eles foram embora, os detetives conferiram essa lista. Ora, sessenta e três convidados tinham entrado e sessenta e três saíram. Portanto...

– Algum criado?

– Não.

– Os próprios detetives?

– Também não.

– Mas... Com mil raios! – exclamou o chefe com impaciência. – Se o roubo foi perpetrado no interior...

– Isso é coisa fora de dúvida – afirmou o inspetor, cujo nervosismo parecia crescer. – Todas as minhas investigações chegaram a essa certeza. E minha convicção aumentava tanto que cheguei a formular esse axioma espantoso: "Em teoria e em fato, o roubo só pôde ter sido executado com o auxílio de um cúmplice, residente na casa". Ora, não houve cúmplice.

– Isso é absurdo! – disse o senhor Duduis.

– De fato – concordou Ganimard. – Porém, no instante em que pronunciei essa frase absurda, a verdade surgiu inteira! Oh!... Uma verdade bem obscura, bem incompleta, mas suficiente! Com esse fio condutor, eu poderia ir longe.

O senhor Duduis manteve um silêncio prudente. O que acontecera com Ganimard ocorria com ele. Murmurou, finalmente:

– Se não foi nenhum dos convidados, nem os criados, nem os detetives, não resta mais ninguém.

– Sim, chefe, ainda há uma pessoa.

O chefe estremeceu, como se recebesse um choque, e, com voz que traía toda sua emoção, murmurou:

– Impossível! Oh! Será quê...? Não!

– Por quê?

– Impossível! O próprio Sparmiento cúmplice de Lupin?

– Perfeitamente. Cúmplice de Arsène Lupin. Assim tudo se explica! Durante a noite e enquanto quanto os três detetives vigiavam embaixo, e, depois, dormiam, porque o coronel os fizera beber champagne com muito narcótico, o próprio Sparmiento roubava as tapeçarias e as fazia passar pela janela de seu quarto, no segundo andar, que dá frente para outra rua, e não era vigiada, posto que as janelas inferiores tinham sido muradas.

O senhor Duduis refletiu um instante; depois, ergueu os ombros:

– Inverossímil! – exclamou ele.

– Por quê?

– Ora, por quê?! Se o coronel fosse cúmplice de Lupin, não se teria suicidado, depois de realizado o roubo.

– E quem lhe diz que ele se matou?

– Oh! Encontraram seu cadáver!

– Com Lupin, repito, nunca há morte!

– Mas essa foi real. De resto, Madame Sparmiento reconheceu o corpo.

– Eu contava com essa sua resposta, chefe! Também esse argumento me desanimava. Repentinamente, em vez de um indivíduo, eu tinha três diante de mim: 1º) Arsène Lupin, ladrão; 2º) Seu cúmplice, o coronel Sparmiento; 3º) Um morto! Era muita coisa! E, por isso mesmo, mais fácil para se estudar!

Ganimard apanhou o rolo de jornais, desatou o laço que os prendia e apresentou um deles ao senhor Duduis, que leu, em voz alta:

Um fato insólito é assinalado por nosso correspondente, em Lille. Do necrotério dessa cidade desapareceu o cadáver de um desconhecido, que se lançara, na véspera, de um viaduto, sob as rodas de um trem. Várias hipóteses foram formuladas sobre esse desaparecimento.

O senhor Duduis ficou pensativo; depois, perguntou:

– Então... Você acredita?

– Cheguei hoje de Lille – respondeu Ganimard – e minhas investigações não deixam subsistir qualquer dúvida a esse propósito. O cadáver foi retirado na mesma noite em que o coronel dava sua festa de inauguração. Transportado em automóvel, foi conduzido diretamente a Ville-d'Avray, onde o automóvel se deteve, permanecendo até noite fechada junto do leito da estrada de ferro.

– Junto do túnel, portanto – concluiu o senhor Duduis.

– Ao lado, chefe.

– De sorte que o cadáver encontrado, agora, é o do desconhecido de Lille, com as roupas do coronel Sparmiento?

– Exatamente, chefe!

– Então, o coronel está vivo?

– Como o senhor ou eu, chefe!

– Mas, então, por que todas essas aventuras? Por que esse roubo de uma só tapeçaria, sua restituição e, em seguida, o roubo das doze? Por que essa festa de inauguração e todo esse fragor infernal? Qual, Ganimard! Você ainda não acertou com a "coisa"!

– O senhor diz isso porque, como eu, parou no meio do caminho, à vista da natureza bizarra de toda a trama. Vá mais longe! Lembre-se de que se trata de Lupin! Com ele, devemos esperar o inverossímil, o inacreditável! Devemos, sempre, seguir a hipótese mais bizarra, mais louca! Quando digo "louca", a palavra não é justa. Tudo isso, ao contrário, é de uma lógica admirável, de uma simplicidade infantil. Cúmplices? Poderiam trair! Cúmplices? Para quê? É mais cômodo e natural agir pessoalmente, com suas próprias mãos, com seus próprios recursos.

– Que diz? Como diz? – exclamou o senhor Duduis, com um espanto que crescia a cada nova exclamação.

Ganimard riu:

– Isso o assombra, hein, chefe? A mim também, desde o dia em que o senhor me encontrou sentado no alto da escada portátil. Estava embrutecido pela surpresa. E, no entanto, já conheço o homem e seus processos. Sei do que é capaz...

– Impossível! Impossível! – repetia o senhor Duduis, em voz baixa.

– Muito possível, ao contrário, chefe! Muito lógico e normal. Trata-se da tríplice encarnação de um mesmo indivíduo! Uma criança resolveria o problema num minuto pelo processo de eliminação. Suprime-se o morto, ficam Sparmiento e Lupin. Suprime-se Sparmiento.

– Resta-nos Lupin – murmurou o chefe da Segurança.

– Sim, chefe. Lupin desembaraçado de seu aspecto de coronel argentino, ressuscitado dentre os mortos; Lupin viajando pela Bretanha e informado da descoberta das tapeçarias e comprando-as; depois, combinando o roubo da mais bela, para chamar a atenção sobre sua pessoa de estrangeiro rico. E cria, com escândalo, o duelo entre Lupin e Sparmiento; realiza a festa de inauguração, atemoriza seus convidados e, quando tudo fica pronto, rouba, como Lupin que é, as doze tapeçarias de Sparmiento e desaparece sob essa personalidade, chorado pelos amigos, e deixando-o atrás de si para receber o seguro das tapeçarias...

Ganimard deteve-se, fitou o chefe bem nos olhos e, num tom que sublinhava a importância de suas palavras, terminou:

– Deixando atrás de si uma viúva inconsolável!

– Madame Sparmiento! Então, acredita que...

– Ora! – exclamou o inspetor principal. – Não se prepara toda uma trabalhosa comédia como essa sem ter algum objetivo: lucros sérios da venda das tapeçarias. Muito bem! Mas essa venda o próprio coronel Sparmiento poderia efetuá-la com maior vantagem... Há coisa melhor!

– O quê?

– Então, chefe, já esqueceu que Sparmiento foi vítima de um roubo importante? Sua viúva receberá a importância dos seguros.

O senhor Duduis ficou de boca aberta. Toda a trama surgia diante de seus olhos, com seu verdadeiro significado. Ele murmurou:

– É verdade... Sim! De suas tapeçarias.

– E por bom dinheiro!

– Quanto?

– Oitocentos mil francos!

– Oito cen...?

– Perfeitamente! Em cinco companhias diferentes.

– E Madame Sparmiento recebeu a indenização?

– Recebeu, ontem, cento e cinquenta mil. E duzentos mil hoje. O resto será pago ao longo desta semana.

O chefe da Segurança curvou a cabeça e se manteve calado, por algum tempo. Depois, balbuciou:

– Que homem! Irra!

Ganimard concordou:

– Sim, chefe; um patife, mas prodigioso! Para que seu plano fosse coroado de êxito, era preciso agir de tal modo que, por quatro ou cinco semanas, ninguém pudesse conceber a menor dúvida sobre o papel do coronel Sparmiento. Era preciso que toda a cólera da polícia e a antipatia do público se concentrassem sobre Lupin. Era necessário que, de tudo isso, apenas restasse uma viúva dolorosa, arruinada, a pobre Edith Pescoço de Cisne... Uma lendária e graciosa visão. Eis o que ele concebeu... E realizou!

O chefe perguntou:

– Quem é essa mulher?

– Sonia Krichnoff. Sim, a russa que eu prendi no ano passado, por ocasião do roubo do diadema, e a quem Lupin conseguiu dar fuga...

– Tem certeza?

– Toda certeza. Enganado, como todo mundo, pelas maquinações de Lupin, eu não lhe prestara atenção, até que desvendei o papel que agora estava representando. O resto foi fácil. Trata-se de Sonia, a mais perigosa e ingênua das atrizes, a serviço de Lupin. Sonia, que, por amor a Lupin, não hesitaria em se fazer matar.

– Boa presa, Ganimard.

– Tenho coisa melhor a lhe oferecer, chefe!

– O quê?

– A velha ama de Lupin.

– Victoria?

– Sim está aqui, desde que Madame Sparmiento "ficou viúva". É a cozinheira!

– Oh, oh! – exclamou o chefe. – Meus cumprimentos, Ganimard!

– E ainda tenho coisa melhor, chefe!

– Que quer dizer?

– Julga que eu o teria incomodado a tal hora da noite se apenas se tratasse dessas presas? Sonia e Victoria. Ora, esperaria, ao menos, que amanhecesse...

– Então? – murmurou o chefe da Polícia de Segurança, que começava a compreender toda a agitação do inspetor principal. – Ele está aqui?

– Sim...

– Escondido?

– Não, apenas dissimulado. É o criado.

Desta vez, o chefe não fez um gesto, não disse uma palavra. A audácia de Lupin o confundia.

– A presença do chefe era indispensável. E ele teve o topete de voltar. Há três semanas que assiste às minhas investigações e vigia, tranquilamente, os meus progressos.

– Você o reconheceu?

– Reconhecer Lupin? É impossível. É um verdadeiro mestre em caracterizações. De resto, eu estava longe de imaginar que ele... Hoje, à tarde, eu espreitava Sonia, protegido pela sombra do vão da escada, e ouvi Victoria falando com o criado e chamando-o "meu filho". Ah, então compreendi tudo! "Meu filho"... É assim que Victoria chamava Lupin.

Por sua vez, o chefe sentia-se emocionado pela presença do inimigo tantas vezes perseguido e nunca dominado.

– Nós o apanhamos desta vez... – disse ele, surdamente. – Não poderá escapar.

– Não, chefe. Nem ele, nem as mulheres...

– Onde estão elas?

– Sonia e Victoria estão no segundo andar; Lupin está no terceiro.

– Mas – observou o chefe da Segurança, com uma inquietação repentina – não foi exatamente pelas janelas desses quartos que as tapeçarias... voaram?

– Sim.

– Neste caso, ele pode fugir também por ali. Essas janelas dão para a rua Dufresnoy?

– Sim, chefe. Mas tomei minhas precauções. Desde que o senhor chegou, mandei quatro homens para a Rua Dufresnoy.

A ordem é formal; se alguém aparecer e tentar descer, devem fazer fogo. O primeiro tiro para o ar... Os seguintes...

– Bravo, Ganimard. Você pensou em tudo. Vamos esperar amanhecer e...

– Esperar, chefe? Ah, não! Ele teria tempo para empregar uma de suas artimanhas. Não! Ele está aqui. Vamos agarrá-lo imediatamente.

Ganimard, trêmulo de impaciência, saiu, atravessou o jardim e fez entrar meia dúzia de policiais. A operação foi rápida. Armados com seus *brownings*, os oito homens subiram as escadas, sem grandes precauções, cheios de pressa por encontrar Lupin, antes que ele pudesse organizar a defesa.

– Abram! – gritou Ganimard, indicando a porta do quarto de Madame Sparmiento.

Com um embate de ombros, um agente derrubou essa porta. Nesse quarto, ninguém; no quarto de Victoria, ninguém, igualmente.

– Estão lá em cima! – gritou Ganimard. – Juntaram-se a Lupin, na mansarda. Atenção!

E, correndo, subiram ao terceiro andar. Com grande surpresa, Ganimard encontrou a porta aberta. A mansarda estava vazia!

– Demônios! – gritou ele. – Que foi feito dele?

Porém, o chefe chamava-o. O senhor Duduis descera ao segundo andar e verificara que uma das janelas estava apenas encostada.

– Veja! – disse ele a Ganimard. – Aqui está por onde fugiram. O mesmo caminho das tapeçarias. Eu bem dizia...

– Mas – protestou Ganimard, que rilhava os dentes de furor – a rua estava e está vigiada!

– É que fugiram antes de minha chegada.

– Estavam todos três no quarto de Sonia quando lhe telefonei, chefe!

– Então, deram o fora quando você foi ao meu encontro no jardim.

– Mas por quê? Por que haviam de fugir sem a menor razão? Por que hoje e não amanhã, na próxima semana, depois de receber o último pagamento do seguro?

Mas havia uma razão e Ganimard a conheceu quando viu, sobre a mesa, uma carta com seu nome. Abriu-a e leu o que nela se continha. Estava em forma de certificado que se dá aos criados que se despedem:

Eu, abaixo-assinado, Arsène Lupin, cavalheiro-ladrão, ex-coronel, ex-criado, ex-cadáver, certifico que o policial amador Ganimard deu provas, durante sua permanência em minha casa, de notáveis qualidades. De conduta exemplar, dedicado, atencioso, conseguiu, sem o auxílio de indício algum, desvendar parte de meus planos e salvar quatrocentos e cinquenta mil francos das várias companhias de seguros. Felicito-o e desculpo-o por não haver previsto que o telefone do andar térreo se comunica com outro, instalado no quarto de Sonia Krichnoff, e que, telefonando ao digno chefe da Polícia de Segurança, telefonou ao mesmo tempo para mim. Erro importante, mas que não diminui seu mérito de detetive iluminado. Peço-lhe, portanto, que aceite a homenagem de minha admiração e de minha simpatia.

Arsène Lupin

O COFRE DE MADAME IMBERT[3]

TRADUÇÃO:
LUCIENE RIBEIRO DOS SANTOS

Às três da manhã, havia ainda uma meia dúzia de veículos diante de um dos hoteizinhos de pintores que compõem o único lado do Boulevard Berthier. A porta de um deles se abriu. Um grupo de convidados, homens e mulheres, saía. Quatro veículos partiram para um lado e outro e só ficaram na avenida dois senhores que se despediram na esquina da Rua

[3] Publicado originalmente em *Arsène Lupin, o ladrão de casaca*. (N.E.)

de Courcelles, onde um deles morava. O outro decidiu voltar a pé até a Porte Maillot.

Atravessou a Avenida de Villiers e seguiu pela calçada oposta, em direção às fortificações. Na bela noite de inverno, pura e fria, era um prazer andar. Respirava-se bem. O ruído dos passos soava alegre.

Mas, ao fim de minutos, teve a desagradável impressão de que o seguiam. Virando-se, notou a sombra de um homem que se deslizava entre as árvores. Não era medroso, porém apressou o passo para chegar mais ligeiro ao posto fiscal de Ternes. Mas o homem começou a correr. Preocupado, julgou mais prudente enfrentá-lo e puxar o revólver.

Não teve tempo: o homem lançou-se sobre ele com violência, e uma luta se iniciou na avenida deserta, luta corporal em que sentiu logo que levava a pior. Gritou por socorro, debateu-se, foi derrubado em cima de umas pedras, enquanto o outro lhe apertava a garganta. Seu adversário lhe meteu um lenço na boca, amordaçando-o. Seus olhos se fecharam, seus ouvidos zuniam, ia perder os sentidos quando, de repente, o aperto afrouxou, e o homem que o sufocava com seu peso se ergueu para se defender, por sua vez, de um ataque imprevisto.

Uma bengalada nos pulsos, um pontapé no tornozelo... O homem soltou dois grunhidos de dor e fugiu capengando e praguejando.

Sem se dignar a persegui-lo, o recém-chegado se inclinou e disse:

– Está ferido, senhor?

Não estava, mas, sim, atordoado e incapaz de se pôr de pé. Felizmente, um dos empregados do posto, atraído pelos gritos, acorreu. Pediram um carro. Subiu a ele, acompanhado de seu salvador, e foi levado à sua casa, na Avenida de La Grande-Armée.

Diante da porta, restabelecido, confundiu-se em agradecimentos.

– Devo-lhe a vida, senhor, acredite que não esquecerei. Não desejo assustar minha mulher neste momento, mas faço questão que ela lhe expresse pessoalmente, ainda hoje, minha gratidão.

Pediu-lhe que viesse almoçar e apresentou-se – Ludovic Imbert –, acrescentando:

– Posso saber a quem tenho a honra...

– Mas certamente! – disse o outro. E se apresentou: – Arsène Lupin.

Lupin não gozava ainda da celebridade que lhe valeu o caso Cahorn, sua evasão da Santé e tantas outras rumorosas aventuras. Nem mesmo se chamava Arsène Lupin. Esse nome, a que o futuro reservava tanto brilho, foi especialmente imaginado para designar o salvador do senhor Imbert, e pode-se dizer que foi nesse caso que recebeu seu batismo de fogo. Pronto para a luta, é certo, já com todas as peças funcionando, mas sem recursos, sem a autoridade que dá o sucesso, Arsène Lupin não passava de aprendiz numa profissão em que logo se tornaria um mestre.

Assim, que arrepio de alegria quando ao acordar se lembrou do convite da madrugada! Enfim chegava à meta! Enfim empreendia uma obra digna de suas forças e de seu talento! Os milhões dos Imbert, que presa magnífica para um apetite como o seu!

Preparou-se especialmente: sobrecasaca no fio, calça gasta, chapéu de seda tisnado, punhos e colarinho falso desfiados, tudo muito limpo, mas cheirando a miséria. Como gravata, uma fita negra alfinetada por um diamante de vidro. Trajado assim irrisoriamente, desceu a escada do alojamento que ocupava em Montmartre. No terceiro andar, sem se deter, bateu com o castão da bengala numa porta fechada. Saindo, dirigiu-se a uma avenida onde passava um bonde. Tomou lugar, e alguém que caminhava atrás dele, o inquilino do terceiro andar, sentou-se ao seu lado.

Ao fim de um instante, esse homem lhe disse:

– E então, patrão?

– Bem, está feito.

– Como?

– Almoço lá.

– Almoça lá!

– Você não queria, espero, que eu gastasse gratuitamente dias tão preciosos como os meus, não é? Arranquei o senhor Ludovic Imbert da morte certa que você lhe reservava. O senhor Ludovic Imbert é uma natureza agradecida. Ele me convida para almoçar.

Um silêncio e o outro arriscou:

– E não vai desistir?

– Meu caro – disse Arsène –, se arranjei aquela pequena agressão noturna, se me dei ao trabalho, às três da manhã, ao longo das fortificações, de bater-lhe com a bengala nos braços e com o pé na canela, com o risco de prejudicar o meu único amigo, não é para renunciar agora à vantagem de um salvamento tão bem organizado.

– E as más notícias que correm sobre a fortuna...

– Deixe que corram. Há seis meses persigo esse negócio, há seis meses que me informo, estudo, estendo as minhas redes, interrogo criados, agiotas e testas de ferro, seis meses que vivo à sombra do marido e da mulher. Portanto, sei a que me ater. Que a fortuna provenha do velho Brawford, como pretendem, ou de outra fonte, não importa, afirmo que ela existe. E, visto que existe, já é minha.

– Puxa, cem milhões!

– Digamos dez, ou mesmo cinco, não importa! Há grossos maços de títulos no cofre. Será o diabo se um dia desses eu não puser a mão na chave.

O bonde parou na Place de l'Étoile. O homem murmurou:

– Assim, já?

– Por enquanto, não há nada a fazer. Eu o avisarei quando chegar o momento. Temos tempo.

Cinco minutos depois, Arsène Lupin subia a suntuosa escada da mansão Imbert, e Ludovic o apresentou à esposa. Gervaise era uma mulher simpática, pequena, redondinha, conversadeira. Deu a Lupin a melhor acolhida.

– Quis que festejássemos sozinhos o nosso salvador – disse.

E de saída trataram o "nosso salvador" como um velho amigo. À sobremesa, a intimidade era completa e faziam-se confidências. Arsène narrou sua vida, a de seu pai, íntegro magistrado, as tristezas de sua infância, as dificuldades do presente. Gervaise, por sua vez, falou de sua juventude, do casamento, das bondades do velho Brawford, dos cem milhões que herdara, dos obstáculos que atrasavam a entrada no gozo dessa riqueza, dos empréstimos que teve de contrair com taxas exorbitantes, das intermináveis disputas com os sobrinhos de Brawford, e as contestações, os sequestros, tudo enfim!

– Imagine, senhor Lupin, que os títulos estão aí ao lado, no escritório de meu marido, e, se destacamos um único cupom, perdemos tudo! Estão aí, no nosso cofre, e não podemos tocá-los.

Um leve frêmito sacudiu senhor Lupin à ideia dessa proximidade. E ele teve a sensação bem clara de que o senhor Lupin nunca possuiria tanta elegância de alma para sentir os mesmos escrúpulos da boa senhora.

– Ah! Estão aí – murmurou, de garganta seca.

– Estão.

Relações tão bem começadas só podiam criar laços estreitos. Delicadamente interrogado, Arsène Lupin confessou sua pobreza, sua angústia. Na hora, o infeliz rapaz foi nomeado secretário particular dos dois cônjuges, recebendo cento e cinquenta francos por mês. Continuaria a morar onde estava, mas viria a receber diariamente ordens e tarefas e, para maior comodidade, ficava à sua disposição, como gabinete de trabalho, um dos quartos do segundo andar.

Escolheu um que, por sorte, ficava bem em cima do escritório de Ludovic…

Arsène não demorou a notar que seu cargo de secretário lembrava muito uma sinecura. Em dois meses, teve apenas quatro cartas insignificantes para copiar e não foi chamado mais que uma vez ao escritório do patrão, o que lhe permitiu contemplar oficialmente o cofre somente uma vez. Além disso, observou que o titular dessa sinecura não devia ser julgado digno de figurar ao lado do deputado Anquety, ou do chefe de advogados Grouvel, pois se omitiram de convidá-lo às famosas recepções sociais.

Não se queixou, preferindo guardar seu modesto lugarzinho à sombra, e manteve-se distante, feliz e livre. Aliás, não perdia tempo. Fez algumas visitas clandestinas ao escritório de Ludovic, apresentando seus respeitos ao cofre, que nem por isso deixava de continuar hermeticamente fechado. Era um bloco enorme de ferro fundido e aço, de aspecto rebarbativo e contra o qual não prevaleceriam nem limas, nem verrumas, nem pés de cabra.

Arsène Lupin não era cabeçudo.

"Onde a força falha, a astúcia vence", pensava. "O essencial é um olho e um ouvido no objetivo."

Tomou, pois, as medidas necessárias e, depois de minuciosas e cansativas sondagens no soalho do seu quarto, meteu o tubo de chumbo que ia dar no forro do escritório entre duas molduras da cornija. Pelo tubo, que servia de binóculo e concha acústica, esperava ver e ouvir.

Desde então, viveu deitado de barriga no assoalho. E, de fato, viu muitas vezes os Imbert em conferência diante do cofre, consultando registros e folheando dossiês. Quando giravam sucessivamente os quatro botões que comandavam a fechadura, procurava, para descobrir a cifra, contar o número de encaixes que passavam. Espreitava seus gestos, suas palavras. Que faziam da chave, escondiam-na?

Um dia, desceu às pressas, tendo-os visto sair do escritório sem fechar o cofre. Entrou resolutamente, e eles estavam de volta.

– Oh, desculpem – disse –, enganei-me de porta.

Mas Gervaise se precipitou, atraindo-o:

– Entre, senhor Lupin, entre, não está em sua casa? Vai nos dar um conselho. Que títulos devemos vender, do Exterior ou da Renda?

– Mas e a contestação? – objetou Lupin, surpreendido.

– Oh! Não abarca todos os títulos.

Ela abriu o batente. Nas prateleiras se amontoavam pastas presas por tiras. Agarrou uma. Seu marido protestou.

– Não, não, Gervaise, seria loucura vender o do Exterior: vai subir... enquanto o da Renda está no máximo. Que julga o meu amigo?

O amigo não tinha nenhuma opinião, porém aconselhou o sacrifício da Renda. Ela pegou outro maço, e dele, ocasionalmente, um papel. Era um título a três por cento de mil trezentos e setenta e quatro francos. Ludovic o pôs no bolso. De tarde, acompanhado pelo secretário, foi vender o título num agente de valores e recebeu quarenta e seis mil francos.

Dissesse o que dissesse Gervaise, Arsène Lupin não se sentia em casa. Ao contrário, sua situação nos Imbert não terminava de surpreendê-lo. Em várias ocasiões, reparou que os criados não sabiam o seu nome e o chamavam apenas de senhor. Ludovic o designava sempre assim: "Avise o senhor... O senhor já chegou?". Por que esse enigmático modo de referência?

E depois do entusiasmo do princípio, os Imbert mal lhe falavam e, continuando a tratá-lo com a consideração devida a um benfeitor, nunca se ocupavam dele. Davam a impressão de julgá-lo um original que não gosta que o importunassem, e seu isolamento era respeitado como se fosse uma regra exigida por ele, um capricho seu. Uma vez, ao passar pelo vestíbulo, ouviu Gervaise, que dizia a dois senhores:

– É tão arredio!

"Seja", pensou, "sou arredio". E, renunciando a explicar as esquisitices daquelas pessoas, empenhava-se na execução de seu plano. Adquirira a certeza de que não podia contar com a sorte, nem com uma leviandade de Gervaise, que levava sempre consigo a chave e, ademais, nunca a tirava sem previamente embaralhar as letras da fechadura. Assim, pois, devia agir.

Um acontecimento precipitou as coisas: a violenta campanha de alguns jornais contra os Imbert, acusados de gatunice. Arsène Lupin assistiu às fases do drama, às agitações do casal, e entendeu que, se tardasse mais, ia perder tudo.

Cinco dias seguidos, em vez de sair pelas seis horas, como costumava, fechou-se em seu quarto.

Julgavam que tinha ido embora, e ele estava estendido no assoalho para vigiar o escritório de Ludovic.

Não ocorrendo nas cinco noites a circunstância favorável que aguardava, foi embora durante a noite pela portinha que dava para o pátio e de que tinha a chave.

No sexto dia, soube que os Imbert, respondendo às insinuações malévolas de seus inimigos, tinham proposto que se abrisse o cofre e se fizesse um levantamento.

"Tem de ser esta noite", pensou Lupin.

Depois do jantar, Ludovic se instalou no escritório, e Gervaise foi ter com ele. Puseram-se a folhear os registros do cofre.

Decorreu uma hora, depois outra. Ouviu os criados se deitar. Não havia mais ninguém no primeiro andar. Meia-noite. Os Imbert prosseguiam em sua tarefa.

– Vamos – sussurrou Lupin.

Abriu sua janela. Dava para o pátio, e o espaço, na noite sem lua e sem estrelas, era escuro. Tirou do armário uma corda com nós, que prendeu na borda do parapeito, e foi descendo suavemente, apoiando-se em uma calha, até a janela abaixo da sua. Era a do escritório, e o tecido espesso das cortinas felpudas escondia a peça. De pé no parapeito, ficou um momento imóvel, com ouvidos e olhos bem abertos.

Tranquilizado pelo silêncio, correu com leveza as vidraças. Se ninguém se dera ao cuidado de examiná-las, deviam ceder ao esforço, pois ele, durante a tarde, tinha entortado as linguetas de modo que não entrassem nas chapas.

As vidraças cederam. Com precaução infinita, entreabriu-as mais. Quando pôde passar a cabeça por elas, parou. Um pouco de luz passava entre as duas cortinas mal unidas. Viu Gervaise e Ludovic sentados ao lado do cofre.

Trocavam em voz baixa raras palavras, absorvidos pela tarefa. Arsène calculou a distância que o separava deles, estabeleceu os movimentos exatos que devia fazer para reduzi-los, um após o outro, à impotência, antes que tivessem tempo de chamar por socorro, e ia arremeter quando Gervaise disse:

– Que frio começou a fazer há um instante! Vou me deitar, e você?

– Gostaria de acabar.

– Acabar! Você tem serviço para toda a noite!

– Oh, não, uma hora no máximo.

Ela se retirou. Vinte, trinta minutos se passaram. Arsène empurrou a janela um pouco mais. As cortinas fremiram. Empurrou mais ainda. Ludovic se virou e, vendo as cortinas inchadas pelo vento, levantou-se para fechar a janela...

Não houve grito, nem mesmo uma aparência de luta. Com poucos gestos precisos e sem lhe fazer mal, Arsène o atordoou, tapou-lhe a cabeça com a cortina, e de tal modo que Ludovic não distinguiu sequer o rosto de seu agressor.

Depois, rápido, foi ao cofre, pegou duas pastas, que pôs embaixo do braço, saiu do escritório, desceu a escada, atravessou o pátio e abriu a porta de serviço. Uma carruagem estava parada na rua.

– Guarde isto primeiro e venha comigo – disse Arsène Lupin ao cocheiro.

Voltaram ao escritório e em duas viagens esvaziaram o cofre. A seguir, Arsène subiu até o seu quarto, tirou a corda e apagou todos os sinais de sua passagem. O trabalho estava terminado.

Horas depois, Arsène Lupin, com a ajuda do companheiro, selecionou as pastas. Não sentiu decepção ao constatar que a fortuna dos Imbert não tinha a importância que lhe atribuíam, pois já contava com isso. Os milhões não se contavam por centenas, nem sequer por dezenas. Mas, enfim, o total formava ainda uma cifra bem respeitável, e eram valores excelentes, títulos do sistema ferroviário, da Prefeitura de Paris, de Suez, das minas do Norte, fundos do Estado, etc. Declarou-se satisfeito.

– Sem dúvida – disse – o valor desses títulos estará muito reduzido quando chegar a hora de negociar. Encontraremos oposição e teremos mais de uma vez de liquidar por preço baixo. Não importa, com este primeiro capital me encarrego de viver como quero... e de realizar alguns sonhos que me são muito caros.

– E o resto?

– Pode queimar, meu filho. Este monte de papéis fazia boa figura no cofre, mas para nós é inútil. Quanto aos títulos, vamos fechá-los calmamente no armário e esperar o momento propício.

No dia seguinte, pensou que nenhuma razão o impedia de voltar à mansão Imbert. Mas a leitura dos jornais lhe trouxe esta notícia imprevista: Ludovic e Gervaise tinham desaparecido.

A abertura do cofre foi feita com grande solenidade. Os homens da justiça acharam que Arsène Lupin tinha deixado lá: pouca coisa.

Estes são os fatos e esta é a explicação que dá a alguns deles a intervenção de Arsène Lupin. Ouvi a história contada por ele mesmo num dia em que estava com disposição para confidências.

Nesse dia, Arsène andava de um lado a outro em meu gabinete de trabalho, e seus olhos tinham um fervor que não lhes conhecia.

– Em suma – disse-lhe –, é o seu mais belo golpe?

Sem me responder diretamente, prosseguiu:

– Há nesse caso segredos impenetráveis. Mesmo depois da explicação que lhe dei, quantas obscuridades persistem! Por que aquela fuga? Por que não se aproveitaram da ajuda que, sem querer, lhes dei? Era tão simples dizer: “Os cem milhões se achavam no cofre; não estão mais aí porque foram roubados”.

– Perderam a cabeça.

– Sim, perderam… por outro lado, é verdade…

– É verdade?…

– Não, nada.

Que significavam essas reticências? Não tinha contado tudo, claro, e o que não contara repugnava-lhe exprimir. Fiquei intrigado. A coisa tinha de ser grave para provocar a hesitação de um homem como aquele.

Arrisquei umas perguntas:

– Não voltou a vê-los?

– Não.

– E não chegou a sentir alguma piedade em relação a esses dois infelizes?

– Eu?! – proferiu num sobressalto.

Sua revolta me admirou. Teria eu acertado o alvo? Insisti.

– É evidente. Sem você, eles podiam ter enfrentado o perigo, ou ao menos ter ido embora com os bolsos cheios.

– Remorsos, é o que me atribui, não é?

– Quem sabe!

Bateu com violência na mesa.

– Assim, segundo você, deveria ter remorsos?

– Chame isso de remorso ou pesar, enfim, um sentimento qualquer...

– Um sentimento por gente que...

– Por gente de quem você tirou uma fortuna.

– Que fortuna?

– Ora, os dois ou três maços de títulos...

– Os dois ou três maços de títulos! Tirei-lhes pacotes de títulos, não é? Uma parte da herança? É a minha falta, o meu crime? Mas que diabo, meu caro, não adivinhou que eram falsos os títulos?... Ouviu? ERAM FALSOS!

Olhei-o, aturdido.

– Falsos, os quatro ou cinco milhões?

– Falsos – gritou com raiva –, superfalsos! As ações, os títulos da Prefeitura de Paris, os fundos do Estado, papel, nada mais que papel! Nem uma moeda, não tirei uma moeda de todo o conjunto! E me pede que tenha remorsos? Eles é que deviam ter! Passaram-me para trás como um trouxa! Depenaram-me como o último dos patos, e o mais imbecil!

Uma cólera real o agitava, feita de rancor e amor-próprio ferido.

– De ponta a ponta, estive por baixo, desde o começo! Sabe que papel representei nesse assunto, ou antes, o que me fizeram representar? O de André Brawford! Sim, meu caro, e eu não compreendi nada! Foi depois, lendo os jornais e juntando alguns detalhes, que percebi. Enquanto eu bancava o benfeitor, o que arriscou a vida para arrancar o marido da garra dos malfeitores, eles me faziam passar por um dos Brawford! Não é admirável? Aquele original que tinha um quarto no segundo andar, o arredio que era mostrado de longe, era Brawford, e Brawford era eu! E graças a mim, à confiança que inspirava com o nome de Brawford, os banqueiros emprestavam e os corretores levavam seus clientes a emprestar! Que escola para um estreante, hein?! Ah, juro que aprendi a lição!

Parou de repente, pegou-me no braço e me disse, num tom exasperado em que era fácil, porém, sentir matizes de ironia e admiração, esta frase inefável:

– Meu caro, atualmente, Gervaise Imbert me deve mil e quinhentos francos!

Não pude me impedir de rir. Era de um mal gosto sem tamanho, e ele mesmo teve um acesso de franca alegria.

– Sim, meu caro, mil e quinhentos francos! Não apenas nunca vi um cêntimo dos meus salários, como ainda ela me pediu emprestados quinhentos francos! Todas as minhas economias de rapaz! E sabe para quê? Receberás em dobro... Para os seus pobres! Exatamente como lhe digo: para pretensos infelizes que ela ajudava sem que Ludovic soubesse!

"E entrei nessa! Engraçado, hein?! Arsène Lupin aliviado em mil e quinhentos francos, e pela boa senhora a quem roubava quatro milhões de títulos falsos! E quantas combinações, esforços e astúcias geniais gastei para chegar a esse belo resultado!

"Foi a única vez em que fui enrolado na vida. Mas, puxa! Desta vez fui mesmo, redondamente, e pagando caro!..."